सुबह-ए-वतन

वाणी प्रकाशन
21-ए, दरियागंज, नई दिल्ली-110002
फोन : 23273167, 23275710
e-mail : vani_prakashan@yahoo.com
vani_prakashan@mantraonline.com

सुबह-ए-वतन

पं. ब्रजनारायण 'चकबस्त'

संपादक
स्वाधीन

वाणी प्रकाशन का लोगो
विख्यात चित्रकार मकबूल फिदा हुसेन
की कूची से

ISBN 81-8143-198-7

वाणी प्रकाशन
21-ए, दरियागंज, नयी दिल्ली-110002
द्वारा प्रकाशित

प्रथम संस्करण : 2004

मूल्य : 150.00

ललित प्रिंटर्स, दिल्ली-110032
द्वारा मुद्रित

SUBHA-A-VATAN
by Pd. Brijnarayan 'ChakBast'
Edited by Swadheen

समर्पण

अपने पिता
पं. दास सत्यानारायण
की याद में, जिन्होंने
'चकबस्त' से परिचित कराया।

—स्वाधीन

सूची

गज़लें (मज़हबे शायराना)

राष्ट्रीय शायर पं. ब्रजनारायण 'चकबस्त' : एक अंदाज़े बयाँ और...

पं. ब्रजनारायण 'चकबस्त' को हम से बिछुड़े हुए अर्ध शताब्दी से भी अधिक अर्सा बीत चुका है। उर्दू की शायरी की दुनिया में हज़ारों हज़ार पाठकों के दिलों को अपने कलाम से राष्ट्रीय चेतना से भर देने वाले शायर पं. व्रज नारायण 'चकबस्त' को भला कौन नहीं जानता, लेकिन यह भी एक काल सत्य है कि उर्दू अदब में 'चकबस्त' जैसे शायर की नोटिस जिस तरह से ली जानी चाहिए थी, नहीं ली गई जबकि अपने ज़माने के अलावा 'चकबस्त' दूसरे ज़मानों में भी अपने कलाम की रौशन फिक्र के साथ दाख़िल होते हैं।

हम ख़ुद को ख़ुशकिस्मत इस लिए समझते हैं कि हमने तहज़ीब के दरख़्तों के तवील सायों को अपनी शायरी की शक्ल में छोड़ जाने वाले इस महान शायर को टटोला है, जिसके न रहने का ग़म उसकी राष्ट्रीयता की भावना से कूट-कूटकर भरी कविताओं को पढ़कर हमें तेज धूप की तरह काटता है।

सच पूछा जाए तो पं. ब्रजनारायण 'चकबस्त' किसी भी प्रकार से इक़बाल से कम बड़े शायर नहीं थे। यह अलग बात है कि ज़िन्दगी उनके लिए छोटी पड़ गई थी।

पं. ब्रजनारायण 'चकबस्त' की शायरी से मेरा परिचय मेरे मरहूम पिता पं. दास सत्यनारायण ने कराया था। वे 'चकबस्त' को करीब से जानते थे। उर्दू में 'सुबह-वतन' में शाया 'चकबस्त' का कलाम उन्हें याद था। मेरे पिता स्वयं स्वतन्त्रता सेनानी शायर थे। वे बताते थे कि 'चकबस्त' छोटी बहरों में प्रायः लिखते थे और दूसरों को भी छोटी बहरों में लिखने के लिए प्रेरित करते थे। देहरादून की एक नशिस्त में 'चकबस्त' के कहने पर मेरे पिता ने अपनी एक ग़ज़ल छोटी बहर में कही

थी और उन्हें तत्काल सुनाई भी थी, जिस ग़ज़ल की परछाइयाँ इस वक़्त मेरे ज़ेहन में डोल रही है कि–

जहाँ में सितम से दबे जा रहे हैं
दिलों को सम्हाले जिये जा रहे हैं
चुराते हैं रोटी को सपनों में खाने
लगी प्यास आँसू पिये जा रहे हैं

खैर, पिता की इधर-उधर बिखरी डायरियों-किताबों से 'चकबस्त' का कलाम मुझे मिला और यह भी पता लगा कि ब्रजनारायण 'चकबस्त' ने कौन-सी रचना किस मौज़ू पर लिखी-पढ़ी है। यह शोधार्थियों के लिए उपयोगी होगा। इसलिए इसे मैं यहाँ देने की कोशिश कर रहा हूँ।

वैसे मैंने वाणी प्रकाशन के प्रमुख भाई अरुण माहेश्वरी के कहने पर इस कठिन काम को अपने हाथों में लिया था, उसे अंजाम पर लाकर आज लग रहा है कि इस सफ़र में अगर पिता के बाद आदरणीय के.सी. अस्थाना, प्रो. दिलीप सिंह, प्रो. मुग़नी तबस्सुम सदाशिव शर्मा, नुसरत मोहिउद्दीन, राजकुमार टंडन और मेरी शरीके हयात नीरा ने कह-कहकर यह काम नहीं करवाया होता तो अफसाना-ए-चकबस्त नामुकम्मिल रह जाता। कश्मीर के विद्वान समालोचक डा. वी.वी. कुचरु से भी 'चकबस्त' के बारे में बहुत कुछ जानने को मिला। मैं उनका भी आभारी हूँ।

यद्यपि पं. ब्रजनारायण 'चकबस्त' के प्रशंसक आज बिखरे हुए हैं। इक़बाल 'चकबस्त' के समकालीन ही नहीं दोस्त भी थे। दोनों का सम्बन्ध कश्मीर की ज़मीन से था। 'चकबस्त' को सुनने और प्रत्यक्ष उनकी मेहमान नवाज़ी करने वालों में राजा धनराजगीर भी थे। उनकी पुत्री मशहूर शायरा इन्दिरा देवी धनराजगीर बताती हैं कि पिता धनराजगीर के सेक्रेटरी अंकल फैजी हुआ करते थे और उनकी बहन थी अतिया फैजी जो अल्लामा इक़बाल की प्रेमिका थीं और बम्बई में मालाबार हिल्स पर रहती थीं। इक़बाल उनसे मिलने जाते थे और कभी-कभी बम्बई स्थित धनराज-महल में आयोजित शाम की महफ़िलों में अतिया फ़ैजी और इक़बाल के साथ ब्रजनारायण 'चकबस्त' भी आते थे। कभी-कभी 'चकबस्त' तेज़ बहादुर सप्रू के साथ भी आते थे, जो अपने ज़माने के मशहूर वकील थे।

इन्दिरा जी कहती हैं, "महफ़िलों में 'चकबस्त' झूम-झूमकर कलाम सुनाते थे। आज़ादी के ज़माने में उनकी शायरी की धूम थी।"

ज़ाहिर है कि 'चकबस्त' सक्रिय और कर्मठ स्वतंत्रता सेनानी और महान शायर थे। उनकी ज़िन्दगी का पर्याय जैसे शायरी थी। वे ग़ज़ल लिखने की मश्क से भी गुज़रे, इसे वे मज़हबे-शायराना मानते थे। और अपनी प्रारम्भिक रचना प्रक्रिया के दौरान उन्हें यह सब करना पड़ा। इस ज़माने में लिखी ग़ज़लें इस संग्रह में आप पढ़ेंगे लेकिन हम यह बता दें कि 'चकबस्त' ने किन-किन वक़्तों में अपना कलाम कहा है, सरसरी तौर पर इस सम्बन्ध में हमें जो जानकारी प्राप्त हुई है, वह इस प्रकार है–

–नज़रान-ए-रूह–पं. बिशन नारायण दर की याद में लिखी नज़्म है।

–फरियादे क़ौम–यह रचना उस समय हुई थी जब स्वदेश के विपत्ति ग्रस्त बन्धु ट्रान्सवाल के शासकों की अन्याय पूर्ण कार्यवाहियों से दुःखी थे और महात्मा गाँधी उन असहाय बन्धुओं की दशा-सुधारने के प्रयत्न में तन-मन से संलग्न थे। यह कविता लघु पुस्तक के रूप में प्रकाशित की गई थी और महात्मा गाँधी का नाम अग्रलिखित पद्य में शीर्षक रूप में इस प्रकार दिया गया था–

महात्मा मोहन दास करमचंद गाँधी की सेवा में
निसार है दिले शायर तेरे क़रीने पर
किया है नाम तेरा नक़्श इस नगीने पर

बर्क़े इस्लाह–यह रचना कश्मीरी ब्राह्मणों के समुदाय में प्रथम बार एक विधवा-विवाह के होने पर समाज-सुधार की प्रशंसा में हुई। विवाह आगरा में हुआ था।

–दर्दे दिल–लखनऊ में कश्मीर के नवयुवकों की सभा के अष्टम अधिवेशन के मौके पर यह नज़्म 'चकबस्त' ने पढ़ी थी।

–क़ौमी मुसद्दस–यह नज़्म तीन सितम्बर सन् 1911 ई. को लखनऊ में होनेवाले हिन्दू विश्व विद्यालय के उस बृहत अधिवेशन के अवसर पर पढ़ी गई थी, जिसमें पं. मदनमोहन मालवीय तथा अन्य महानुभाव

विश्वविद्यालय के हेतु चंदा एकत्र करने के लिए आए थे आदि।

चकबस्त के बारे में बहुत ही कम लिखा गया है। लेकिन उनका यह एक शे'र हिन्दुस्तान भर में प्रसिद्ध है–

ज़िन्दगी क्या है अनासिर में ज़हूरे तरतीब,
मौत क्या है इन्हीं अजज़ा का परेशां होना।

बहुत खोजने पर मिलती है एक टिप्पणी, जो अपने ज़माने के मशहूर नक़्क़ाद तेज़ बहादुर सप्रू ने कभी लिखी थी।

"कि स्वतंत्रता संग्राम का समय लेखन बस जीवन यही था 'चकबस्त' का संसार।" सप्रू कहते हैं कि, "यह दुर्भाग्य ही कहा जा सकता है कि सर मोहम्मद इक़बाल और 'चकबस्त' जैसे महानुभावों को अपना समय कानून और कविता के बीच बाँटने के लिए मज़बूर होना पड़ा।"

सफ्रू आगे कहते हैं कि, "वस्तुस्थिति यह है कि पिछली शताब्दी के चौथाई भाग में इन दोनों कवियों ने हमें उत्कृष्ट रचनाएँ दी हैं। 'चकबस्त' उर्दू शायरी के भविष्य थे। उनमें सांस्कृतिक निष्ठा थी और उर्दू फारसी पर उन्हें समान अधिकार प्राप्त था। प्रायः 'चकबस्त' मुक़ामी रूप से लखनवी होने पर गर्व किया करते थे। इसलिए उत्तर भारत वालों को उन्होंने भाव-प्रधान कविता का सर्वश्रेष्ठ रूप प्रदान किया है। किन्तु यह भीं साफ है कि उन लोगों को ब्रज नारायण 'चकबस्त' की शायरी से गुज़र कर निराशा होगी, जो उनकी शायरी में पारम्परिक मानक कविता को ढूँढ़ते हैं।"

यह बात अन्ततः निर्णायक रूप से कही जा सकती है कि ब्रजनारायण 'चकबस्त' को उनके समकालीनों ने तो बहुत सराहा है, किन्तु यह भी बात आज खुलकर अनुभव की जा रही है कि वर्तमान पीढ़ी 'चकबस्त' द्वारा स्थापित उर्दू की आधुनिक कविता के स्कूल को स्वीकार रही है।

शशिनारायण 'स्वाधीन'

नज़राने रूह

तेरा बन्दा रहे दिल से यही पैमान रहा,
तायरे फ़िक्र[1] तेरे औज[2] से हैरान रहा

क़द्र करना तेरी सीखें यही अरमान रहा
यही मसला यही मज़हब यही ईमान रहा

आबरू क्या है तमन्नाएँ[3]-वफ़ा में मरना
दीन क्या है किसी कामिल की परस्तिश करना

मुझ से याराने अदम ने ये अगर फ़रमाया
हसरत आबाद जहाँ से तुझे क्या हाथ आया

मैं कहूँगा कि बस एक रहबरे कामिल पाया
ज़िन्दगी की यही दौलत है यही सरमाया

लेके दुनिया से यही महरे वफ़ा आया हूँ
अपने मोहसिन की गुलामी की सनद लाया हूँ।

---

1. चिन्तन रूपी पक्षी, 2. शान ऊँचाई, 3. इच्छाएँ।

खाके हिन्द

ऐ खाके हिन्द[1] तेरी अज़मत[2] में गुमाँ है[3]
दरिया ए फ़ैज़े क़ुदरत[4] तेरे लिए रवाँ[5] है

तेरी जबीं[6] से नूरे हुस्ने अज़ल[7] अयाँ[8] है
अल्लाह रे ज़ेबो-ज़ीनत[9] क्या औज[10] इज्ज़ो शाँ[11] है

हर सबुह[12] है ये ख़िदमत, ख़ुरशीद पुरज़िया[13] की
किरनों से गूँथता है चोटी हिमालिया की

इस ख़ाकेदिलनशीं[14] से चश्मे[15] हुए वो जारी
चीनो अरब में जिन से होती थी आबयारी[16]

सारे जहाँ पै जब था वहशत[17] का अब्रतारी[18]
चश्मो चिराग़ अम्लन[19] थी सरज़मी[20] हमारी

शम्म ए अदब[21] न थी जब यूनाँ[22] की अंजुमन[23] में
ताबाँ[24] था महरेदानिश[25] इस वादिए कुहन[26] में

गौतम ने आबरू की मुआबिदे कुहन[27] को
सरमद[28] ने इस ज़मी पर सदक़े[29] किया वतन[30] को

अकबर[31] ने जामे उल्फ़त बख़्शा इस अंजुमन[32] को
सींचा लहू से अपने राना ने इस चमन को[33]

सब सूरबीर अपने इस ख़ाक में निहाँ[34] हैं
टूटे हुए खंडर हैं या उनकी हड्डियाँ हैं

दीवारो दर[35] से अब तक उनका असर[36] अयाँ[37] है
अपनी रगों में अब तक उनका लहू रवाँ[38] है

अब तक असर में डूबी नाक़ूस[39] की फ़ुगा[40] है
फ़िरदौस गोश[41] अब तक कैफ़ीयते अज़ाँ[42] है

कश्मीर से अयाँ[43] हैं जन्नत[44] का रंग अब तक
शौकत[45] से बह रहा है दरिया-ए-गंग अब तक

अगली-सी ताज़गी[46] है फूलों में और फलों में
करते हैं रक़्स[47] अब तक ताऊस[48] जंगलों में

अब तक वही कड़क है बिजली की बादलों में
पस्ती[49] सी आ गई है पर दिल के हौसलों में

गुल[50] शम्मे अंजुमन[51] है गो अंजुमन[52] वही है
हुब्बे वतन[53] नहीं है ख़ाके वतन[54] वही है

बरसों से हो रहा है बरहम[55] समाँ[56] हमारा
दुनिया से मिट रहा है नामोनिशाँ हमारा

कुछ कम नहीं अजल[57] से ख़्वाबे गराँ[58] हमारा
इक लाश बेकफ़न है हिन्दोस्तां हमारा

इल्मो कमालईमाँ[59] बर्बाद हो रहे हैं
ऐशोतरब[60] के बन्दे[61] ग़फ़लत में सो रहे हैं

ऐ सूर[62] हुब्बे क़ौमी[63] इस ख़्वाब[64] से जगा दे
भूला हुआ फ़साना[65] कानों को फिर सुना दे

मुर्दा तबीयतों[66] की अफ़सुर्दगी[67] मिटा दे
उठते हुए शरारे[68] इस राख से दिखा दे

हुब्बे वतन[69] समाये आँखों में नूर[70] होकर
सर में ख़ुमार[71] होकर दिल में सुरूर[72] होकर

शैदाय बोस्तां[73] को सर्वो समन[74] मुबारक[75]
रंगीं[76] तबीयतों को रंगे सख़ुन[77] मुबारक

बुलबुल को गुल मुबारक गुल को चमन मुबारक
हम बेकसों[78] को अपना प्यारा वतन मुबारक

ग़ुंचे[79] हमारे दिल के इस बाग़ में खिलेंगे
इस ख़ाक से उठे हैं, इस ख़ाक में मिलेंगे

है जुएगीर[80] हमको नूरे सहर[81] वतन का
आँखों की रोशनी है जल्वा[82] इस अंजुमन का

है रश्केमहर[83] ज़हर[84] इस मंज़िले कुहन[85] का
तुलता है बर्गा[86] गुल[87] से काँटा भी इस चमन का

गर्दो ग़ुबार[88] याँ का ख़िलअत[89] है अपने तन को
मरकर भी चाहते हैं खाक़े वतन[90] क़फन को।

---

1. भारत की रज, 2. महत्त्व, 3. सन्देह, 4. प्राकृतिक उदारता की नदी, 5. जारी, 6. मस्तक, 7. प्राकृतिक प्रकाश, 8. प्रकट, 9. शोभा, सजावट, 10. उच्चता, 11, प्रतिष्ठा, 12. प्रभात,, 13. प्रकाशमान, 14. सूरज, 15, दिल में बसी हुई मिट्टी, 16. सिंचाई, 17, असभ्यता,

18. अच्छादित मेघ 19. विश्व नेत्र-दीपक, 20. भूमि, 21. सभ्यता की ज्योति, 22. यूनान देश, 23. महफिल, 24, प्रकाशित, 25. बुद्धिमत्ता का सूर्य, 26, पुरानी ज़मीन 27. प्राचीन मन्दिर, 28. एक सूफी संत, 29. समर्पित, 30. स्वदेश, 31. प्रेम का प्याला, 32. महफिल, 33. उद्यान, 34. गुप्त, 35. द्वार, 36. प्रभाव, 37. प्रकट, 38. जारी, 39. शंख, 40. पुकार, 41. स्वर्ग तक जिस की सुनवाई हो, 42. नमाज के वक़्त उच्चरित आवाज़, 43. प्रकट, 44. स्वर्ग, 45. गौरव, 46. नवीनता, 47. नृत्य, 48. मोर, 49. निरुत्साहता, 50. बुझा हुआ, 51. महफिल का चिराग, 52. महफिल, 53. स्वदेश-प्रेम, 54. स्वदेश की मिट्टी, 55. अस्त-व्यस्त, 56. हाल, 57. मृत्यु, 58. गहरी नींद, 59. विद्या और काम, कुशलता, 60. ऐश आराम, 61. दास, 62. नरसिंहा नामक बाजा, 63. जातीय प्रेम, 64. नींद, 65. कहानी, 66. निरुत्साही, 67. मुरझाया-पन, 68. चिंगारियाँ, 69. स्वदेश प्रेम, 70. प्रकाश, 71. उतरता हुआ नशा, 72. चढ़ता हुआ नशा, 73. उद्यान के प्रेमी, 74. सर्ववृक्ष विशेष जो बिल्कुल सीधा होता है "समन चमेली", 75. शुभ, 76. काव्य प्रेमी, 77. काव्य चर्चा, 78. ग़रीबों, 79. कलियाँ, 80. दूध की नदी (आकाश गंगा) 81. सुबह की रोशनी, 82. आलोक, 83. सूर्य को लजाने वाला, 84. बालुकण, 85. प्राचीन पथ, 86. पन्ना, 87. फूल, 88. मिट्टी धूल, 89. पोशाक, 90 स्वदेश की मिट्टी।

वतन का राग

ज़मीन हिन्द की रुतबे[1] में अर्शआला[2] है
ये होमरूल की उम्मीद का उजाला है

मिसेज़ बेसन्ट ने इस आरज़ू[3] को पाला है
फक़ीर क़ौम के हैं और ये राग माला है

तलब[4] फ़िज़ूल है काँटे की फूल के बदले
न लें बहिश्त[5] भी हम होमरूल के बदले

वतनपरस्त[6] शहीदों[7] की ख़ाक लायेंगे
हम अपनी आँख का सुर्मा उसे बनायेंगे

ग़रीब माँ के लिए दर्द दुःख उठायेंगे
यही पयामे वफ़ा[8] क़ौम को सुनायेंगे

तलब फिजूल है काँटे की फूल के बदले
न लें बहिश्त भी हम होमरुल के बदले

हमारे वास्ते ज़ंजीर तौक़[9] गहना है
वफ़ा[10] के शौक़ में गाँधी ने जिसको पहना है।

समझ लिया कि हमें रंजो दर्द सहना है
मगर जुबाँ से कहेंगे वही जो कहना है

---

1. पद, 2. सर्वोच्च आकाश, 3. कामना, 4. चाह, 5. स्वर्ग, 6. देश भक्त, 7. प्राण समर्पित करने वाला, 8. कृतज्ञता-संदेश, 9. गले की जंजीर, 10. वादा निभाने वाला

तलब फ़िज़ूल है काँटे की फूल के बदले
न लें बहिश्त भी हम होमरूल के बदले

पिन्हानेवाले अगर बेड़ियाँ पिन्हायेंगे
ख़ुशी से क़ैद के गोशे[1] को हम बसायेंगे

जो संतरी दरे ज़िन्दाँ[2] के सो भी जायेंगे
ये राग गा के उन्हें नींद से जगायेंगे

तलब फ़िज़ूल है काँटे की फूल के बदले
न लें बहिश्त हम होमरूल के बदले

ज़बाँ को बन्द किया है ये ग़ाफ़िलों[3] को है नाज़[4]
ज़रा रगों में लहू का भी देख लें अंदाज़[5]

रहेगा जान के हमराह[6] दिल का सोज़ गदाज़[7]
चिता से आयेगी मरने के बाद ये आवाज़

तलब फ़िज़ूल है काँटे की फूल के बदले
न लें बहिश्त भी हम होमरूल के बदले

यही दुआ[8] है वतन के शकिस्ताहालों[9] की
यही उमंग जवानी के नौनिहालों[10] की

जो रहनुमा[11] है मुहब्बत पै मिटनेवालों की
हमें क़सम हैं उसी के सफ़ेद बालों की

---

1. कोना, 2. कारागर, 3. अनजानों, 4. अभिमान. 5. ढंग, 6. साथ. 7. दुःख-दर्द, 8. कामना. 9. दुःखी दीन, 10. युवक, 11. पथ प्रदर्शक।

तलब फ़िज़ूल है काँटे की फूल के बदले
न लें बहिश्त भी हम होमरूल के बदले

यही पयाम[1] है कोयल का बाग़ के अन्दर
इसी हवा में है गंगा का ज़ोर आठ पहर

हिलाले ईद[2] ने दी है यही दिलों को ख़बर
पुकारता है हिमाला से अब्र[3] उठ-उठकर

तलब फ़िज़ूल है काँटे की फूल के बदले
न लें बहिश्त भी हम होमरूल के बदले

बसे हुए हैं मुहब्बत से जिनकी क़ौम के घर
वतन का पास[4] है उनको सुहाग[5] से बढ़कर

जो शीरख़्वार[6] हैं हिन्दोस्तां के लख़्ते जिगर[7]
ये माँ के दूध से लिक्खा है उनके सीने[8] पर

तलब फ़िज़ूल है काँटे की फूल के बदले
न लें बहिश्त भी हम होमरूल के बदले

---

1. संदेश, 2. ईद का चन्द्रमा, 3. बादल, 4. ख़याल, 5. सौभाग्य, 6. दूध पीने वाला, 7. कलेजे के टुकड़े, 8. छाती।

आवाज़े ए क़ौम

यह ख़ाके हिन्द से पैदा हैं जोश के आसार[1]
हिमालिया से उठे जैसे अब्रे दरिया बार[2]

लहू रगों में दिखाता है बर्क़[3] की रफ़्तार[4]
हुई है ख़ाक के पर्दे में हड्डियाँ बेदार[5]

ज़मीं से अर्श[6] तलक शोर होमरूल का है
शबाब[7] क़ौम का है ज़ोर होमरूल का है

निगाहे शौक़[8] है इस रंग की तमाशाई
है जिस से शेख़ो बिरहमन पै बेखुदी[9] छाई

हर एक गाम[10] पै करते हुए जिबींसाई[11]
चले हैं बहरे ज़ियारत[12] वफ़ा के सौदाई[13]

वतन के इश्क़ का बुत[14] बेनक़ाब[15] निकला है
नये उफ़क़[16] पै नया आफ़ताब[17] निकला है

ये आरज़ू है कि मेहरो वफ़ा[18] से काम रहे
वतन के बाग़ में अपना ही इन्तज़ाम[19] रहे

गुलों[20] की फ़िक्र में गुलचीं[21] न सुबह शाम रहे
न कोई मुर्ग़ खुशइलहाँ[22] असीरे दाम[23] रहे

---

1. चिन्ह-संभावना, 2. ज़ोरदार बादल, 3. बिजली, 4. चाल, 5. जाग्रत, 6. आकाश, 7. जवानी, 8. उत्सुक दृष्टि, 9. बेहोशी, 10. क़दम, 11. मस्तक झुकाना, 12. दर्शकों के लिए, 13. कृतज्ञता के प्रेमी, 14. मूर्ति, 15. बे-पर्दा, 16. आकाश, 17. सूर्य, 18. प्रीतिभाव, 19. प्रबन्ध, 20. फूलों, 21. फूल तोड़ने वाला, 22. मिष्टभाषी पक्षी, 23. जाल में कैद।

सरीहे शाह[1] का इक़बाल[2] हो बहारे चमन[3]
रहे चमन का मुहाफ़िज़[4] ये ताजदारे चमन[5]

है आज कल की हवा में वफ़ा[6] की बरबादी
सुने जो कोई तो सारा चमन है फ़रियादी

क़फ़स[7] में बन्द हैं जो आशियाँ[8] के ये आदी[9]
उड़ा है बाग़ से बू हो के रंगे आज़ादी[10]

हवाय शौक़[11] में गुंचे[12] विकस[13] नहीं सकते
हमारे फूल भी चाहें तो हँस नहीं सकते

जो आजकल हैं मुहब्बत वतन की आलमगीर[14]
यही गुनाह[15] है यही ज़ुल्म है यही तक़सीर[16]

ज़बाँ हैं बन्द क़लम को पिन्हाई है ज़ंजीर
बयाने दर्द[17] को बाक़ी नहीं कोई तदबीर

है दिल में दर्द मगर ताक़ते कलाम[18] नहीं
लगे हैं जख़्म तड़पने का इंतजाम नहीं

जो अपने हाल पै ये बेकसी[19] बरसती है
ये नायबाने हुकूमत[20] की ख़ुद परस्ती[21] है

---

1. शाही तख़्त, 2. पद प्रतिष्ठा, 3. बाग़ की बहार, 4. संरक्षक, 5. मुकुटघाटी नरेश, 6. प्रेम, 7. पिंजड़ा, 8. घोंसला, 9, अभ्यस्त, 10. स्वतंत्रता का रंग, 11. उत्साह वर्धक वायु, 12. कलियाँ, 13. खिलना, 14. चारों ओर व्याप्त, 15. दोष, 16. अपराध, 17. दुःख-वर्णन, 18. बोलने की शक्ति, 19. दीनता, 20. शासन वर्ग, 21. स्वाभिमान।

यहाँ से दूर जो बरतानियाँ[1] की बस्ती है
वहाँ सुना है मुहब्बत की जिन्स[2] सस्ती है

जो उस पै हाले वतन आश्कार[3] हो जाये
ये देखते रहे बेड़ा ये पार हो जाये

फ़िदाइयाने[4] हुकूमत ने हम को रंज दिये
मगर जो फ़र्ज़े अदा[5] थे वो अदा हमने किये

निसार[6] जाँ से हुए दाबे[7] सलतनत[8] के लिए
शराबे ऐश[9] समझकर लहू के घूँट पिये

डिगे न पाँव मुहब्बत के नोके खंज़र[10] पर
लहू की मुहर है अपने वफ़ा के महज़र[11] पर

जो अपने दिल से है बरतानियाँ का दिल राज़ी
तो क्या करेंगे ये हिन्दोस्तान के क़ाज़ी

न काम आएगी ग़ैरों की रखना अन्दाजी[12]
तुम्हें पुकार रही है सख़ी[13] की फ़ैयाज़ी[14]

बची कुची पै क़नाअत[15] है यों नहीं पीते
पिलाने वाला पिलाता है क्यों नहीं पीते

---

1. ईंग्लेंड 2. वस्तु, 3. प्रकट, 4. शासन पर आसक्ति रखने वाला, 5. कृतज्ञता का कर्त्तव्य, 6. निछावर, 7. प्रतिष्ठा, 8. साम्राज्य, 9. ऐश की शराब, 10. खंजर की नोक पर, 11. हाजिर होने की जगह, 12. छिद्रान्वेषण, 13. पुण्यात्मा, 14. उदारता, 15. संतोष।

रहा है रात की सुहबत[1] में क्या मज़ा बाक़ी
निगाहें शौक[2] को है दौरे नौ[3] की मुश्ताक़ी[4]

नई शराब नया दौर[5] और नया साक़ी[6]
मिटे सुरूर[7] में देरो हरम[8] की नाचाक़ी[9]

यही किसी का हरम हो किसी का दैर रहे
ये मयकदा[10] रहे आबाद ख़ुम[11] का ख़ैर[12] रहे

शराबे शौक़ दवा है इस अंजुमन[13] के लिए
सुरूर[14] इस का है अकसीर[15] रूहोतन[16] के लिए

खिंची है ख़ुल्द[17] में इस महफ़िले कुहन[18] के लिए
फ़लक़[19] से उतरी है ये शेख़ो बिरहमन के लिए

रहेगा दौर ज़माने में यादगार इस का
ये होमरूल का सौदा ख़ुमार[20] है इसका

इसी से मस्त[21] कहीं है हरम[22] पै छाये हुए
अजाँ के नार-ए-दिलकश[23] से हज[24] उठाये हुए

कहीं है नग़म-ए-नाक़ूस[25] दिल लुभाये हुए
इसी फज़ा[26] में ये सब राग हैं समाये हुए

---

1. बैठक-महफिल, 2. चाह की दृष्टि, 3. नया ज़माना, 4. अभिलाषा, 5. समय-जमाना, 6. शराब पिलाने वाला, 7. नशा, 8. मंदिर और मस्जिद, 9. वैमनस्यता, 10. शराब खाना, 11. शराब खाना, 11. शराब का घड़ा, 12. भला, 13. महफिल, 14. नशा, 15. लाभदायक, 16. आत्मा और शरीर, 17. स्वर्ग, 18. प्राचीन सभा, 19. आकाश, 20. नशा, 21. मदोन्मत्त, 22. मस्जिद, 23. हृदयहारिणी पुकार, 24. लाभ. 25. शंख ध्वनि, 26. शोभा-वातावरा।

ये हुक्म पीरे मुग़ाँ[1] का है नश ए मै[2] में
ये राग आके मिले होमरूल की लै में

रक़ीब[3] कहते हैं रंगो वतन नहीं यक साँ[4]
बना है क़ौसक़ज़ा[5] ख़ाके हिन्द का दामाँ[6]

जिधर निगाह उठे उस तरफ़ नया है समाँ
न एक रंगे तबीयत[7] न एक रंग ज़बाँ

जो होमरूल पै ये चश्मे शौक़[8] पैदा हो
तमाम रंग मिले एक रंग पैदा हो

जो दिल से क़ौम के निकली है वो दुआ है यही
था जिस पै नाज़[9] मसीहा को वो सदा[10] है यही

दिलों को मस्त जो करता है वो हवा है यही
ग़रीब हिन्द के आज़ार[11] की दवा है यही

न चैन आयेगा बे होमरूल पाये हुए
फ़कीर क़ौम के बैठे हैं लौ लगाये हुए

ये जोशपाक[12] ज़माना दबा नहीं सकता
रगों में खून्ह की हरारत[13] मिटा नहीं सकता

---

1. भक्त पुजारी, 2. शराब का नशा, 3. स्पर्द्धा रखने वाला, 4. समान, 5. आकाश पर उगनेवाला रंगीन धनुष, 6. अंचल, 7. चित्तवृत्ति, 8. अभिलाषा की दृष्टि, 9 गर्व, 10. आवाज़, 11. दुःख-दर्द, 12. पवित्र उत्साह, 13. रक्त की गर्मी

ये आग वो है जो पानी बुझा नहीं सकता
दिलों में आके ये अरमान[1] जा नहीं सकता

तलब फ़िज़ूल है काँटे की फूल के बदले
न लें बहिश्त भी हम होमरूल के बदले।

---

1. कामना।

बेसेन्ट के नाम

(मि. बेसेन्ट की ख़िदमत में पयामे वफ़ा[1])

क़ौम ग़ालिब नहीं भाता तेरी ग़मख्वारी[2] से
ज़लज़ला[3] मुल्क में है तेरी गिरफ्तारी से

आग भड़की है तेरी आह[4] की चिंगारी से
ख़ाक हासिल न हुआ तेरी दिलाज़ारी[5] से

दिल तेरा क़ौम के दामन में दिये जाते हैं
हड्डियों को तेरी ज़िन्दाँ[6] में लिये जाते हैं

लहलहाता है मुहब्बत का तेरी दिल में चमन
माँ के दामन से है बढ़कर हमें तेरा दामन

तेरी तस्वीर से हैं क़ौम की आँखें रौशन
तेरे बालों की सफ़ेदी है कि सुबहे-वतन

दिले पुरदर्द[7] की तस्वीर है सूरत तेरी
ताज काँटों का है पहिने हुए मूरत तेरी

दास्ताँ[8] दीन[9] की दुनिया को सुनाई तूने
मज़हबी बैर की बुनियाद मिटाई तूने

आग भड़की हुई सदियों[10] की बुझाई तूने
राह ईसाफ की अंधो को सुझाई तूने

---

1. कृतज्ञता का संदेश, 2. कष्ट, 3. भूकम्प, 4. दर्द भरी आवाज़, 5. दिलदुखाने से, 6. जेल, 7. दुखित हृदय, 8. कहानी, 8. मज़हब, 10. शताब्दियों।

किसने गिरती हुई क़ौमों को सम्हाला होता
तू न होती तो न दुनिया में उजाला होता

हिन्द बेदार[1] हुआ यों तेरी बेदारी से
जैसे बरसों का मरीज़[2] उठता है बीमारी से

क़ौम आज़ाद[3] हुई तेरी गिरफ्तारी से
चाँदनी फैल गई हुस्ने वफ़ादारी[4] से

तू नज़र बन्द है जलवा[5] है तेरा हर घर में
शम्अ़फानूस[6] में है नूर[7] है महफिल भर में

फूल पत्ते हैं तेरे रंगेवफ़ा[8] से आज़ाद
दर्द मंदों की तरह करते हैं पत्थर फरियाद

बेवफ़ाओं की हुई जाती है कोशिश बरबाद
तू गिरफ्तार सही, है तेरी शक्ति[9] आज़ाद

राहते जिस्म[10] का दर बंद रहे या न रहे
ढ़ेर मिट्टी का नज़र बन्द रहे या न रहे

तूने पौधा जो लगाया था वो फल लाया है
आबरू क़ौम ने पाई है वो दिन आया है

हमने भूले हुए विरसां[11] का निशां पाया है
मरने वालों की वफ़ा का यही सरमाया[12] है

---

1. जाग्रत, 2. बीमार, 3. स्वतंत्र, 4. शिष्ट व्यवहार की उत्तमता, 5. प्रकाश, 6. मोमबत्ती जिस में जलाई जाती है, 7. प्रकाश, 8. सद्व्यवहार, 9. ताक़त, 10. शारीरिक आराम, 11. उत्तराधिकार, 12. पूँजी।

दिल तड़पता है कि स्वराज का पैग़ाम[1] मिले
कल मिले आज मिले सुबह मिले शाम मिले

हुक्म हाकिम का है फ़रियाद ज़बानी रुक जाय
दिल की बहती हुई गंगा की रवानी रुक जाय

क़ौम कहती है हवा बंद हो पानी रुक जाय
पर ये मुमकिन नहीं अब जोशे जवानी रुक जाय

हों ख़बरदार जिन्हांने ये अज़ीयत[2] दी है
कुछ तमाशा ये नहीं क़ौम ने करवट ली है

हो चुकी क़ौम के मातम[3] में बहुत सीनाज़नी[4]
अब हो इस रंग का सन्यास[5] ये दिल में है ठनी

मादरे हिन्द[6] की तस्वीर हो सीने पै बनी
बेड़ियाँ पैर में हों और गले में कफ़नी

हो ये सूरत से अयाँ[7] आशिके आज़ादी[8] हैं
क़ुफ़्ल है जिनकी ज़ुबाँ पर ये वो फ़रियादी हैं

आज से शौक़े वफ़ा[9] का यही जौहर[10] होगा
फ़र्श काँटों का हमें फूलों का बिस्तर होगा

फूल हो जाएगा छाती पै जो पत्थर होगा
क़ैदख़ाना जिसे कहते हैं वही घर होगा

---

1. संदेश, 2. कष्ट, 3. शोक, 4. छाती पीटना, 5. त्याग, 6. भारत माता, 7. प्रकट, 8. स्वतंत्रता के प्रेमी, 9. सद्व्यवहार की लगन, 10. तत्व गुण।

सन्तरी देख के इस जोश को शरमायेंगे
गीत जंज़ीर की झंकार पे हम गायेंगे

जिनका दामाने-वफ़ा[1] क़ौम का गहवारा[2] है
उनको अस्मत[3] की तरह पासे वतन[4] प्यारा है

उनको फरियाद से ज़ख्मी दिले सदपारा[5] है
चश्मे मासूम[6] का आँसू नहीं अंगारा है

सत जिसे कहते हैं वो आग है दम साज़[7] इनकी
परद ए ग़ैब[8] की आवाज़ है आवाज़ इनकी

जिस में सौदा-ए मुहब्बत[9] का वो सर बाकी है
रात अँधेरी है मगर यादे सहर[10] बाक़ी है

दिल के हर ज़ख़्म में फरियाद का दर[11] बाक़ी है
क़ौमे बेदार[12] के सीने में जिगर बाक़ी है

दिल दहकते नहीं ज़िन्दाँ[13] में गिरफ्तारों के
बेड़ियाँ ढूँढ़ते हैं पाँव वफ़ादारों[14] के

ज़ोशे सौदाय मुहब्बत[14] में पड़े ग़र उफ़्ताद[16]
दिल सरे मस्त[17] कहे खान-ए-अहसाँ[18] आबाद

---

1. सद्व्यवहार का अंचल, 2. पालना, 3. सदाचार रहना, 4. स्वदेश का ख्याल, 5. सौ-सौ टुकड़े, 6. निर्दोषी नेत्र, 7. अनुकूल, 8. गुप्त, 9. प्रेम की लगन, 10. प्रभात स्मृति, 11. न्याय-द्वार, 12. जाग्रत जाति, 13. कारागार, 14. प्रतिज्ञा के पूरे, 15. प्रेम की लगन, 16. विपत्ति, 17. उन्मुक्त होकर. 18. उपकार का घर।

बेजुबाँ करते हैं शायर की जबाँ से फरियाद
ये ज़ुबाँ वो है जो ज़िन्दाँ में रहेगी आज़ाद

पाक है जोशे सख़ुन[1] ख़ौफ की तद्बीरों से
वलवले[2] रूह के[3] आज़ाद है जंज़ीरों से।

1. काव्य का जोश, 2. विचार, 3. आत्मा।

फ़रियादे क़ौम

है आज और ही कुछ सूरतें बयां[1] मेरी
तड़प रही है दहन[2] में मेरे ज़बाँ मेरी

छिपेंगे क़ल्बो ज़िगर[3] तीर है फ़ुग़ा[4] मेरी
लहू के रंग में डूबी है दास्तां[5] मेरी

मुबालग़ा[6] नहीं तमहीद शायराना[7] नहीं,
ग़रीब क़ौम का है मरसिया[8] फसाना[9] नहीं

वतन से दूर तबाही में है वतन का जहाज़
हुआ है ज़ुल्म के पर्दे में हशर[10] का आगाज़[11]

सुनें तो मुल्क के हमदर्द[12] क़ौम के दम साज़[13]
हवा के साथ आई है ये दुःख भरी आवाज़

वतन से दूर हैं हम पर निगाह कर लेना
इधर भी आग लगी है ज़रा ख़बर लेना

1. कहने का ढंग, 2. मुँह, 3. दिल और कलेजा, 4. फरियाद, 5. कहानी, 6. अतिशयोक्ति, 7. कवियों की भूमिका, 8. क्लेश-कथा, 9. कहानी, 10. प्रलय, 11. प्रारंभ, 12. दुःख के साथी, 13. सहायक

जो मिट रहे हैं वतन पर ये है सदा[1] उनकी
लहू पुकार रहा है ये है वफ़ा[2] उनकी

बँधी है आलमे तहज़ीब[3] में हवा उनकी
ग़ज़ब[4] की जा[5] है जो गर्दन झुकी ज़रा उनकी

तुम्हारे दिल में न उल्फ़त[6] की हूक उठे अफसोस
वतन[7] का काफ़िला[8] परदेस में लुटे अफ़सोस

ट्रान्सवाल के हाक़िम वक़ाश आर[9] नहीं
कुछ इन के क़ौल का दुनिया में एतबार[10] नहीं

हमारी क़ौम पे अहसां का उनके बार[11] नहीं
ये जुल्म क्यों है, हम उनके गुनाहगार[12] नहीं

अगर वो दौलते बरतानियाँ[13] के प्यारे हैं
तो अहले हिन्द[14] उसी आस्मां के तारे हैं

मगर ज़फा से[15] नहीं जालिमों को मुतलक[16] आर[17]
उजाड़ते हैं वो बस्ती जो थी कभी गुलज़ार[18]

जहाँ ख़ुशी के तरानों का गरम था बाज़ार
सुनाई देती है वाँ बेड़ियों की अब झनकार

---

1. आवाज़, 2. नेकी, 3. सभ्यता की स्थिति, 4. अफसोस, 5. स्थान, 6. प्रीति, 7. स्वदेश, 8. जन समूह, 9. नेक प्रतिज्ञा के पूरे, 10. विश्वास, 11. बोझ, 12. अपराधी, 13. ब्रिटिश-साम्राज्य, 14. भारतवासी, 15. अत्याचार, 16. बिल्कुल, 17. लज्ज़ा, 18. हरी भरी,

किया है बन्द मुसाफ़िर समझ के राहों को
पिन्हाई जाती है ज़ंजीर बेगुनाहों को

लुटे हैं यों कि किसी की गिरह में दाम नहीं
नसीब[1] रात को पड़ रहने का मुकाम[2] नहीं

यतीम बच्चों के खाने का इंतज़ाम नहीं
जो सुबह ख़ैर[3] से गुज़री उमीदें शाम नहीं

अगर जिये भी तो कपड़ा नहीं बदन के लिए
मरे तो लाश पड़ी रह गई कफ़न के लिए

नसीब[4] चैन नहीं भूख प्यास के मारे
हैं किस अज़ाब[5] में हिन्दुस्तान के प्यारे

तुम्हें तो ऐश के सामान जमा हैं सारे
वहाँ वतन से रवाँ[6] हैं लहू के फव्वारे[7]

जो चुप रहें तो हवा क़ौम की बिगड़ती है
जो सर उठायें तो कोड़ों की मार पड़ती है

वतन से दूर भी हैं और ख़ाना वीरां[8] भी
असीरे यास[9] भी हैं और असीरे ज़िन्दा[10] भी

तबाह हाल हैं हिन्दू भी और मुसलमां भी
हुए हैं नज़्र[11] मुसीबत के दीनो ईमाँ[12] भी

---

1. प्राप्त, 2. स्थान, 3. कुशल, 4. प्राप्त, 5. विपत्ति, 6. जारी, 7. स्त्रोत, 8. उजाड़ घरवाले, 9. निराशा, 10. कारागार के क़ैदी, 11. भेंट, 12. मज़हब और ईमान,

पढ़ी नमाज़ तो उजड़े घरों के सहरा[1] में
अगर नहाये तो अपने लहू की गंगा में

अगर दिलों में नहीं अब भी जोश ग़ैरत[2] का
तो पढ़ दो फातिहा[3] क़ौमी वक़ारों इज्ज़त[4] का

वफ़ा[5] को फूँक दो मातम[6] करो मुहब्बत का
जनाज़ा[7] लेके चलो क़ौमी दीनों मिल्लत[8] का

निशाँ मिटा दो उमंगों का और इरादों का
लहू में ग़र्क़[9] सफ़ीना[10] करो मुरादों[11] का

कहाँ है मुल्क के सरताज क़ौम के सरदार
पुकारते हैं मदद के लिए दरो दीवार

वतन की ख़ाक से पैदा हैं जोश के आसार[12]
ज़मीन हिलती है उड़ता है ख़ून बन के ग़ुब्बार[13]

जगह से अपनी है चित्तौड़ की ज़मीं सर की
लरज़[14] रही है कई दिन से क़ब्र अकबर की

भँवर में क़ौम का बेड़ा है हिन्दुओं हुशियार
अँधेरी रात है काली घटा है औ मँझधार

अगर पड़े रहे ग़फलत की नींद में सरशार[15]
तो ज़ेर मौजे[16] फ़ना होगा आबरू[17] का मज़ार[18]

---

1. जंगल, 2. लज्जा, 3. तिलांजलि दे दो, 4. जातीय प्रतिष्ठा, 5. नेकी, 6. भावार्थ त्याग, 7. रथी, 8. जाति, जातीय धर्म और मेलजोल, 9. डुबाओ, 10. नौका, 11. अभीष्ट मनोरथों, 12. उत्साह के चिन्ह, 13. धूल, 14. काँप, 15. मरत बेहोश, 16. मृत्यु की लहरों के बीच, 17. प्रतिष्ठा, 18. कब्र भावार्थ यह कि हमारी प्रतिष्ठा का अंत हो जाएगा।

मिटेगी क़ौम ये बेड़ा तमाम डूबेगा
जहाँ में भीष्मो अर्जुन का नाम डूबेगा

जिन्हें रुलाये न अब भी क़ौम की उफ़ताद[1]
स्याह क़ल्ब[2] वो हिन्दू हैं कंस की औलाद

मगर वो क्या हैं किसी की भी गर न हो इमदाद[3]
असर दिखायेगी जादू का क़ौम की फ़रियाद

उठेंगे ख़ाक के तूंदों[4] से दस्तगीर[5] अपने
ज़मीन हिन्द की उगलेगी शूरबीर अपने

दिखा दो जौहरे इस्लाम[6] ऐ मुसलमानों
विक़ारे क़ौम[7] गया क़ौम के निगहबानों

सितून[8] मुल्क के हो क़द्रे क़ौमियत[9] जानो
ज़फ़ा[10] वतन पै है फ़र्ज़े वफ़ा[11] को पहिचानो

नबी[12] के खुल्क़ो मुरव्वत[13] के पासदार[14] हो तुम
अरब की शानो हमैयत[15] के यादगार हो तुम

करो ख़याल कुछ इस्लाफ़[16] की हमैयत[17] का
दिया था दुश्मने क़ातिल[18] को जाम[19] शरबत का

---

1. जात का विपत्ति, 2. काले हृदय के अथवा दिल के मैले, 3. सहायता, 4. ढ़ेरों, 5. सहायक, 6. इस्लामी, गुण, 7. जातीय प्रतिष्ठा, 8. खम्भ 9. जातीयता की कद्र, 10. जुल्म, 11. कृतज्ञता का कर्त्तव्य, 12. पैगम्बर, 13. शिष्टता और प्रेम, 14. उत्तराधिकारी, 15. गौरव सदाचार, 16. पूर्व पुरुष, 17. सद् व्यवहार, 18. हत्याकारी शत्रु, 19. प्याला।

मुआमिला है यहाँ भाइयों की इज़्ज़त का
ये फ़र्ज़ ऐन[1] है सौदा नहीं मुरव्वत का

अगर न अब भी हो इस्लाम का जिगर पानी
हज़ार ख़न्द ए क़ुफ़रस्त बर मुसलमानी[2]

अगर न क़ौम के इस वक़्त भी तुम आये काम
नसीब[3] होगा न मरने पै भी तुम्हें आराम

यही कहेगा ज़माना कि था बराये नाम[4]
वो धरम हिन्दुओं का वो हमैयत इस्लाम[5]

ज़रा न असर हुआ क़ौम के हबीबों[6] पर
वतन से दूर छुरी चल गई ग़रीबों पर

रहेगा माल न हम राह[7] जायेगी दौलत
गई तो क़ब्र तलक साथ जायेगी ज़िल्लत[8]

करो जो एक रुपये से भी क़ौम की ख़िदमत
तुम्हारी ज़ात से हो यक यतीम[9] को राहत

मिले हिजाब[10] की चादर किसी की अस्मत[11] को
क़फन नसीब[12] हो शायद किसी की मैयत को

---

1. प्रधान, 2. भावार्थ—यदि अब भी इस्लाम का दिल पानी-पानी न हो तो कुफ़्र भी उनकी इस्लामिक पर हँसेगा, 3. प्राप्त, 4. नाम मात्र, 5. मसलमानी धर्म, आचार, 6. प्रेमियों, 7. साथ, 8. बदनामी, 9. मातृ-पितृ विहीन, 10. पर्दा-लाज, 11. पाकदामनी, 12. प्राप्त,

जो दब के बैठ रहे सर उठाओगे फिर क्या
उदूय क़ौम[1] को नीचा देखाओगे फिर क्या

रहेगा क़ौल यही उन से उनकी माओं[2] का
लहू रगों में तुम्हारी है बेहयाओं का

मिटा जो नाम तो दौलत की जुस्तजू[3] क्या है
निसार[4] हो न वतन पर तो आबरू क्या है

लगा दे आग न दिल में तो आरज़ू[5] क्या है
न जोश खाय जो ग़ैरत से वो लहू क्या है

फ़िदा[6] वतन पै जो हो आदमी दिलेर[7] है वो
जो ये नहीं तो फ़कत हड्डियों का ढेर है वो

---

1. जातीय शत्रु, 2. माताओं, 3. तलाश, खोल, 4. निछावर, बलिहारी, 5. कामना, इच्छा, 6. आसक्त, 7. वीर।

क़ौम के सूरमाओं को बिदाई

साहिले हिन्द[1] से जर्रार वतन[2] जाते हैं
कुछ नई शान[3] से जांबाज़ कुहन[4] जाते हैं

रन में बाँधे हुए शमशेरो क़फन जाते हैं
तेशे-ज़न[5] बर्फ़-फ़गन[6] क़िल-अ-शिक़न[7] जाते हैं

सामने इनके ज़फर[8] बरहना पा[9] चलती है
इनकी तलवार के साये में क़ज़ा[10] चलती है

इनकी रग रग में है पयवस्त[11] शुजाअत[12] के चलन
रन का मैदान है इनके लिए माँ का दामन

अर्सए जंग[13] की मौत इनको इकशब[14] की दुल्हन
मर के तलवार से हासिल हो तो ख़िलअत[15] है क़फन

जोश इन में जो है उस जोश का अब दौर[16] नहीं
साठ पुश्तों[17] के सिपाही हैं कोई और नहीं

---

1. भारतीय किनारा 2. स्वदेश के वीर, 3. रोब, 4. जान पर खेलनेवाले पुराने वीर, 5. तलवार चलाने वाले, 6. बिजली गिराने वाले, 7. किला तोड़नेवाले, 8. विजय, 9. नंगे पाँव, 10. मृत्यु, 11. भिदे हुए, 12. वीरता, 13. लड़ाई, के समय, 14. रात, 15. पोशाक, 16. ज़माना, 17. पीढ़ियों।

हाँ दिले राने वतन[1] धाक बिठाकर आना
तनतना[2] जर्मने ख़ुदबी[3] का मिटाकर आना

क़ैसरी तख़्त[4] की बुनियाद हिलाकर आना
नदियाँ ख़ून की बर्लिन[5] में बहाकर आना

नाव तलवार की है पार लगाने के लिए
यही गंगा है सिपाही के नहाने के लिए

जाँ निसार[6] आज तुम्हारा सा ज़माने में नहीं
हाँ दिखा दो कि हो ताजे शहे लंदन[7] के नगीं[8]

दोस्त क्या चीज़ हैं दुश्मन हो फ़िदाए तहसीन[9]
आस्मां वजद[10] करे बोल उठे रन की ज़मीन

यों तो लड़ने को बहुत शह[11] के नमकख़्वार[12] लड़े
और ही शान से लेकिन ये वफ़ादार[13] लड़े

जिस घड़ी मार कए जंग[14] में हो तंग़े अलम[15]
सूरमा लड़ते हैं इस तरह पुकारे आलम[16]

दिल हो अर्जुन का जिगर भीम का अंगद का क़दम
मौत तक वक़्त नज़र में हो शबीहे भीषम[17]

---

1. स्वदेश के वीर, 2. शेखी, 3. अभिमानी, 4. कैसर का सिंहासन, 5. जर्मन की राजधानी, 6. प्राण निछावर करने वाला, 7. लंदन के महाराजा का मुकुट, 8. नगीना, 9. खूबियों पर आसक्त, 10. प्रशंसा, 11. राजा, 12. वफ़ादार नौकर-सिपाही, 13. प्रत्युपकार करने वाला सज्जन, 14. युद्ध क्षेत्र, 15. झंडे की तलवार, 16. संसार, 17. भीष्मपितामह की सूरत।

जिस का क़ाबू न हटा मौत की तदबीरों पर
साय-ए-तेग़[1] में आराम किया तीरों पर

वो हो यूरश[2] कि हो शीराज़ पर अयदा[3] बरहम[4]
इक उमड़ते हुए दरिया का हो पैदा आलम[5]

जो किसी से न झुका वो सरेगम़रूर[6] हो ख़म[7]
पहले बर्लिन में जो पहुँचे वो तुम्हारा हो क़दम

वाह गुरु कहके बढ़ो[8] ख़ून के महज़र[9] खुल जाये
फिर हरीसिंह की तलवार के जौहर खुल जाये

मुझको ऐजाज़[10] मिला है ये वतन का ऐज़ाज
देखना अब है शुजाअत[11] का तुम्हारी अन्दाज़[12]

ख़ाके यूरप पे दिलेरी से हो अपनी मुमताज[13]
तेग़े हिन्दी[14] की असालत[15] पे ज़माने को हो नाज़[16]

क़ौम का औज[17] बढ़े नामे वतन ज़िन्दा हो
रूह[18] परताप की जन्नत[19] में न शर्मिन्दा हो

या ज़फरयाब[20] तुम्हें देख के दिल हो बश्शाश[21]
आये या सूयवतन[22] खून में डूबी हुई लाश

1. तलवार की परछाई, 2. हमला, 3. शत्रुओं का झुण्ड, 4. अस्तव्यस्त, 5. दृश्य, 6. घमण्डी सिर, 7. नीचा, 8. सिक्खों का जातीय वाक्य, 9. रगे-शिराए, 10. प्रतिष्ठा, 11. वीरता, 12. ढंग, 13. सिरमौर, 14. भारतीय तलवार, 15. खूबी, 16. घमण्ड, 17. पद-गौरव, 18. आत्मा, 19. स्वर्ग, 20. विजयी, 21. प्रसन्न, 22. स्वदेश की तरफ़,

सर जुदा तन से हो या हो तने बिस्मिल[1] सद्‌याश[2]
गोश-ए-अम्नो अमाँ[3] की न हो आँखों को तलाश

मौत मेअ़राज[4] है इस दश्त[5] के राही के लिए
आँच तलवार की जन्नत है सिपाही के लिए

गो कि दुनिया से मिटे शौकते क़ैसर[6] का सुराग़[7]
शोला-ए-तेग़[8] से मुरझाय न तहज़ीब[9] का बाग़

गुल न हो दिल के शिवाले में हमैयत[10] का चिराग़
बेगुनाहों के लहू का न हो तलवार में दाग़

रास्ता है यही क़ौमों की तबाही के लिए
ख़ून मासूम[11] का दोज़ख़[12] है सिपाही के लिए

मादरे क़ौम[13] का है अपने सपूतों से पयाम
ख़त्त ए हिन्द[14] का इस जंग में रोशन रहे नाम

तेग़े ख़ूँरेज़[15] ने जिस शाम से छोड़ा है नयाम[16]
अपने मसकन[17] में उसी शान से पाये आराम[18]

शायरे गोशानशी[19] शुक्रे ख़ुदा करता है
ज़ंग हो मुझको मुबारक[20] ये दुआ करता है।

---

1. पायल, 2. नौ सौ टुकड़े, 3. आराम चैन का कोना, 4. सीढ़ी, 5. जंगल, 6. कैसर की शान, 7. पता, 8. तलवार की आग, 9. सभ्यता, 10. सदाचारिता, 11. निर्दोष, 12. नरक, 13. जातीय माता, 14, भारत देश, 15. रक्त-पात करनेवाली तलवार, 16. मियान, 17. निवास स्थान, 18. प्रवेश करे, 19. कोने में बैठने वाला कवि, 20. शुभ।

बिला उनवान नज़्म[1]

(कांग्रेस के पुराने नेता जब कांग्रेस से अलग हुए तब यह 'शीर्षक हीन' कविता लिखी गई। सं)

अपने अपने राग से कान आशना[2] होने को हैं
परदा हाए साज़ क़ौमी बे सदा होने को हैं

रहनुमाई[3] किस की होगी मुझको हैरत है यही
क़ाफले में क़ौम के सब पेशवा होने को हैं

जज़्बए ख़िदमत[4] सफ़ाए क़ब्ल आईनो अदब
ख़ुद नुमाई पर ये सब जौहर फ़िदा होने को हैं

है तलबगारों में गुल कुछ सर उठाना चाहिए
क़ौम के दरबार से ख़िलअत अता होने को हैं

माँगती है रोज़ जिन से रोशनी सुबह हे-वतन
ख़ून के क़तरे उन आँखों से जुदा होने को हैं

आँसुओं से अपने जो सींचा किये बाग़े वतन
बेवफ़ाई के उन्हें ख़िलअत अता होने को हैं

जिनको मंज़िल से ज्यादा है हवा का रुख अजीज़
क़ौम के बेड़े के ऐसे नाखुदा होने को हैं

---

1. शीर्षकहीन नज़्म 2. परिचित, 3. मार्गदर्शन, 4. सेवाभाव

यादगारे दौर आख़िर हैं जो कुछ हरमाँ नसीब
वो असीरे काविरों जुर्मे वफ़ा होने को हैं

जो सफ़ाए हुस्न[1] से सूरत नुमाए क़ौम थे
दिल के आईनों से वो ज़ौहर फना होने को हैं

कुछ अजब रंगे चमन बदला हुआ है आजकल
गुंचओं गुल सूरते शबनम हवा होने को हैं

गर यही है गरदिशे दौरान[2] का रंगे इन्क़लाब
होश उड़ जाएँगे वो फ़ितने वफा होने को हैं

जुरअतें इख़लाक़ तेरे इम्तहाँ[3] का वक़्त है
जिनके हम बन्दे हैं वो हम से ख़फ़ा होने को हैं

मादरे नाशाद रोती है कोई सुनता नहीं
दिल जिगर से भाई से भाई जुदा[4] होने को हैं।

---

1. सौन्दर्य, 2. ज़माने का चक्कर, 3. परीक्षा, 4. अलग (पृथक)

क़ौम की लड़कियों से ख़िताब

रविशे-ख़ाम[1] पै मर्दों की न जाना हर्गिज़
दाग़ तालीम[2] में अपनी न लगाना हर्गिज़

थाम रख्खा है नुमायश[3] का तरक़्क़ी व रिफ़ार्म[4]
तुम इस अंदाज़[5] के धोखे में न आना हर्गिज़

रंग है जिन में मगर बूयवफ़ा[6] कुछ भी नहीं
ऐसे फूलों से न घर अपना सजाना हर्गिज़

नक़्ल यूरप की मुनासिब है मगर याद रहे
ख़ाक में ग़ैरते क़ौमी[7] न मिलाना हर्गिज़

ख़ुद जो करते हैं ज़माने की रविश[8] को बदनाम
साथ देता नहीं ऐसों का ज़माना हर्गिज़

ख़ुदपरस्ती[9] को लक़ब[10] देते हैं आज़ादी[11] का
ऐसे इख़लाक़[12] पै ईमान न लाना हर्गिज़

रंगो रोग़न[13] तुम्हें यूरप का मुबारक लेकिन
क़ौम का नक़्श न चेहरे से मिटाना हर्गिज

---

1. कच्चा ढंग, 2. शिक्षा, 3. दिखलावा, 4. उन्नति और सुधार, 5. ढंग, 6. गुणों की गंध, 7. जातीय लज्जा, 8. रीति ढंग, 9. अभिमान, 10. पदवी, 11. स्वतंत्रता, 12. शिष्टाचार, 13. पाखण्ड

जो बनाते हैं नुमाइश का ख़िलौना तुझको
उनकी ख़ातिर[1] से ये ज़िल्लत[2] न उठाना हर्गिज़

रुख़[3] से पर्द को उठाया तो बहुत ख़ूब किया
पर्द ऐ शर्म[4] को दिल से न उठाना हर्गिज़

तुमको कुदरत[5] ने जो बक़्शा है हया[6] का ज़ेवर
मोल इसका नहीं क़ारूँ[7] का ख़ज़ाना हर्गिज़

दिल तुम्हारा है वफ़ाओं की परस्तिश[8] के लिए
इस मुहब्बत के शिवाले को न ढाना हर्गिज़

पूजने के लिए मंदिर जो है आज़ादी का
इसको तफ़रीह[9] का मर्कज़[10] न बनाना हर्गिज़

नक़द इख़लाक़[11] का हम नल की तरह हार चुके
तुम दमपन्ती ये दौलत न लुटाना हर्गिज़

ख़ाक़ में दफ़्न[12] हैं मज़हब के पुराने पाखंड
तुम ये सोते हुए फ़ितने[13] ना जगाना हर्गिज़

अपने बच्चों की ख़बर क़ौम के मर्दों को नहीं
ये हैं मासूम[14] इन्हें भूल न जाना हर्गिज़

इन की तालीम का मकतब[15] है तुम्हारा ज़ानू[16]
पास मर्दों के नहीं इनका ठिकाना हर्गिज़

---

1. लिए, 2. बदनामी, 3. चेहरे, 4. लाज का पर्दा, 5. प्रकृति, 6. लज्जा, 7. एक प्रसिद्ध धन कुबेर, 8. गुणों की पूजा, 9. मनोरंजन, 10, केन्द्र, 11. शिष्टाचार, 12. दबे हुए, 13. झगड़े, 14. निर्दोष दीन बालक, 15. पाठशाला, 16. घुटना

काग़जी फूल विलायत के दिखाकर इनको
देश के बाग़ से नफ़रत[1] न दिलाना हर्गिज़

नग़मए क़ौम[2] की लै जिसमें समा ही न सके
राग ऐसा कोई इनको न सिखाना हर्गिज़

परवरिश क़ौम की दामन[3] में तुम्हारे होगी
याद इस फ़र्ज़[4] की दिल से न भुलाना हर्गिज़

गो[5] बुज़ुर्गों में तुम्हारे न हो इस वक़्त का रंग
इन ज़ईफ़ों[6] को न हँस हँस के रुलाना हर्गिज़

होगा परलय[7] जो गिरा आँख से इनके आँसू
बचपने से न ये तूफ़ान उठाना हर्गिज़

हम तुम्हें भूल गए उसकी सज़ा पाते हैं
तुम ज़रा अपने तईं भूल न जाना हर्गिज़

किसके दिल में है वफ़ा[8] किसकी ज़बाँ में तासीर[9]
न सुना है न सुनोगी ये फ़साना[10] हर्गिज़।

---

1. घृणा, 2. जातीय गान, 3. अंचल, 4. कर्त्तव्य, 5. यद्यपि, 6. वृद्धों, 7. प्रलय, 8. प्रेम, 9. प्रभाव, 10. कहानी।

बर्क़े इस्लाह

मरहबा[1] जुरअते इस्लाह[2] दिलाने वालो
क़ौम के बारे अमानत[3] के उठाने वालो

दिल की उजड़ी हुई नगरी के बसाने वालो
मादरे हिन्द[4] की बिगड़ी के बनाने वालो

कैसे तूफ़ां में दिया है ये सहारा तुमने
ख़ूब डूबी हुई किश्ती[5] को उभारा तुमने

कल जिसे ऐन लताफ़त[6] में ख़िज़ाँ[7] ने लूटा
आज उस बाग़ का शादाब[8] है बूटा-बूटा

बेड़ियाँ कट के गिरीं क़ुफ़्ल असीरी[9] टूटा
चाँद मासूम[10] की क़िस्मत[11] का गहन से छूटा

तुम भी ख़ुदशाद[12] हुए क़ौम को भी शाद किया
दिल के वीरान शिवाले को फिर आबाद किया

---

1. शाबाश, 2. सुधार का रहस्य, 3. अमानत का बोझ, 4. भारत माता, 5. नाव, 6. उन्नति के समय में, 7. पतझर का मौसम, 8. हरा-भरा, 9. क़ैद का ताला, 10-11, निष्पाप प्रारब्ध का चन्द्रमा, 12. प्रसन्न।

क़ौम में गुलशने इस्लाह[1] पड़ा था वीराँ[2]
तायरे बाग़[3] थे वे बाल ओ परो[4] से नालाँ[4]

हो गया और ही क़दमों से तुम्हारे सामाँ
ऐसे दिल सोज़[6] चमन बन्द[7] मयस्सर हैं कहाँ

क़ौम देती है दुआ नाम तुम्हारा सुनकर
रास्ता साफ़ किया बाग़ से काँटे चुनकर

मिल गए ख़ाक में कितने ही ग़रीबों के शबाब[8]
इन गुनाहों का है इस क़ौम की गर्दन पे अज़ाब[9]

जो पुरानी रविशों[10] के लिए रहते हैं ख़राब
उनकी सूरत से अब आता है ज़माने को हिजाब[11]

शाने इख़लाक़[12] नहीं जब्र[13] की तदबीरों में
बेगुनाहों को जकड़ते नहीं ज़ंजीरों में

बेगुनाह जुल्म से हो जाते हैं अक्सर माजूर[14]
मगर इन्साफ़ का दरबार भी होता है ज़रूर

क़ौम के जब्र का लेकिन है निराला दस्तूर
गे हो पाबन्द जिहालत[15] तो है दुनिया मजबूर[16]

---

1. सुधारों का बाग, 2. उजाड़, 3. उद्यान के पक्षी, 4. बिना पर और बाजू के, 5. रोते हुए, 6. दिल जलाने वाले, 7. बाग को सुधारने वाले, 8. जवानी, 9. पाप, 10. रीतियों, 11. शर्म, 12. शिष्टता का गौरव, 13. अत्याचार, 14. उज्र या बहाना किया गया, (बाध्य), 15. मूर्खता में फँसे हुए, 16. लाचार।

दिल तो क्या रूह[1] भी इस क़ैद से आज़ाद नहीं
ये है वो जुल्म कि जिसकी कहीं फ़रियाद नहीं

आज इस जुल्म की बुनियाद हिली जाती है
ख़ाक में हुज्जते दीरीना[2] मिली जाती है

रहम का राज है अब संग दिली[3] जाती है
याँ कली दिल की मुहब्बत से खिली जाती है

मर्द क़ौमों को सबक़ यों ही सिखा देते हैं
दिल में जो ठानते हैं करके दिखा देते हैं

नौजवानों पे है क्या जोश का आलम[4] तारी[5]
मार्का[6] सर हो ये है चार तरफ़ तैयारी

तनतना[7] दिल में है लब[8] पर ये सख़ुन[9] है जारी
नाम कश्मीर का डूबेगा जो हिम्मत हारी

आके मैदाने तरक़्क़ी में पलटने के नहीं
ये क़दम वो है कि बढ़ जाएँ तो हटने के नहीं

है इधर जोश पै आज़ाद ख़याली[10] की तरंग
सर में सौदा है दिलों में है जवानी की उमंग

इस तरफ़ बज़्मेहरीफ़ा[11] का है बिगड़ा हुआ रंग
ढूँढ़ते फिरते हैं जफ़री[12] के लिए हम आहंग[13]

---

1. आत्मा, 2. पुराना झगड़ा, 3. पाषान-हदमी, 4. हालत, 5. छाई हुई, 6. लड़ाई, 7. गौरव, 8. होंठों, 9. बात, 10. स्वतन्त्र-विचार, 11. साथियों का समाज, 12. डाट-फटकार, 13. ढंग।

कोई बाक़ी नहीं अब इनके तरफ़दारों में
मिल गई टूट के तोबा[1] भी गुनहगारों में

आयें पीराने तरीक़त[2] ये तमाशा देखें
हाँ नए दौर[3] का उठता हुआ पर्दा देखें

जोश इस्लाह[4] का बहता हुआ दरिया देखें
पार होते हुए मज़लूम[5] का बेड़ा देखें

देख लें धर्म की इस क़ौम में ख़ूँ[6] बाक़ी है
इन रंगों में अभी रिषियों का लहू बाक़ी है

जोश इख़लास[7] से थे क़ौम के आज़ा[8] बेकार
दिलकी राहत तलबी[9] से थीं उमंगे लाचार

बाद मुद्दत हुए ग़ैरत के नुमायाँ[10] आसार[11]
नोक नश्तर से हुआ ख़ून रंगों में बेदार[12]

यों ही इसलाह की तासीर अयाँ[13] होती है
क़ौम पीरी[14] में इसी तरह जवाँ होती है

हालते जख़्म से जब हालते नासूर हुई
फ़िक्र मरहम दिले पुरदर्द[15] को मंज़ूर हुई

---

1. वस्तु त्याग हेतु शपथ, 2. वृद्ध नेता, 3. ज़माना, 4. सुधारों का गर्व, 5. सताया हुआ दु:खी, 6. स्वभाव, 7. शिष्टता की कमजोरी, 8. इन्द्रियाँ, 9. आराम तलबी, 10. प्रकट, 11. चिन्ह, 12. जाग्रत, 13. प्रकट, 14. वृद्धावस्था, 15. दर्द से भरा हुआ।

जोरे मज़हब की बला[1] क़ौम से काफ़ूर हुई
शुक्र है गाय की गर्दन से छुरी दूर हुई

ग़म नहीं दिल को यहाँ दीन की बरबादी का
बुत सलामत रहे इन्साफ की आज़ादी का।

1. मज़हबी जुल्म की आफत।

दर्दे दिल

दर्द है दिल के लिए और इन्सा के लिए
ताज़गी[1] बर्गो समर[2] की चमनिस्ताँ[3] के लिए

साज़[4] आहंग-जुनूँ[5] तार रगेजाँ[6] के लिए
बेख़ुदी[7] शौक़ की मुझ बेसरो सामाँ[8] के लिए

क्या कहूँ कौन हवा सर में भरी रहती है
बेपिये आठ पहर बेखबरी रहती है

न हूँ शायर न वली हूँ न हूँ ऐज़ाज़ बयाँ[9]
बज़्में क़ुदरत[10] में हूँ तस्वीर की सूरत हैराँ[11]

दिल में इक रंग है लफ़्जों से जो होता है अयाँ[12]
लय की मुहताज[13] नहीं है मेरी फ़रियादो फ़ुगाँ[14]

शौक़े शुहरत[15] हविसे[16] गर्मिए बाज़ार नहीं
दिल वो यूसुफ़ है जिसे फ़िक्र ख़रीदार नहीं

---

1. नवीनता, 2. पत्ते और फल, 3. बाग, 4. बाजा, 5. उन्मत्तता, 6. जान की रग, 7. बेहोशी, 8. बेसामान. 9. सुकवि, 10. प्रकृति की महफिल अर्थात संसार, 11. चकित, 12. प्रकट, 13. चाहनेवाली, 14. आह पुकार, 15. नामावरी की इच्छा, 16. प्रसिद्धि का लोभ,

और होंगे जिन्हें रहता है मुक़द्दर[1] से गिला
और होंगे जिन्हें मिलता नहीं मिहनत का सिला[2]

मैंने वो ग़ैब[3] की सरकार से माँगा वो मिला
जो अक़ीदा[4] था मेरे दिल का हिलाये न हिला

क्यों डराते हैं अबस[5] गबरू[6] मुसलमाँ मुझको
क्या मिटायेगी भला गर्दिशे दौराँ[7] मुझ को

क्या ज़माने पै खुले बेख़बरी का मेरी राज़[8]
तायरे फ़िक्र[9] में पैदा तो हो इतनी परवाज़[10]

क्यों तबियत को न हो बेख़ुदिए शौक़[11] पै नाज़
हज़रते अब्र के क़दमों पे है यह फ़र्क़ नियाज़[12]

---

1. प्रारब्ध, 2. बदला, 3. अन्तर स्थित ईश्वर, 4. विश्वास, 5. व्यर्थ, 6. अग्निपूजक, 7. ज़माने का चक्कर, 8. भेद, 9. फ़िक्र का पक्षी 10. उड़ने की शक्ति, 11. शौक़ की बेख़ुदी, 12. भेंट।

तरक्की अंजुमन

क़ौम में आठ बरस से है ये गुलशन[1] शादाब[2]
चेहरे ए गुल पै यहाँ पासे अदब[3] की है नक़ाब[4]

मेरे आइन ए दिल[5] में है फक़त इसका जवाब
इसके काँटों पै किया मैंने निसार[6] अपना शबाब[7]

काम शबनम[8] का लिया दीद-ए-तर[9] से अपने
मैंने सींचा है इसी ख़ूने जिगर[10] से अपने

हर बरस रंग पै आता ही गया ये गुलज़ार[11]
फूल तहजीब[12] के खिलते गये मिटते गये ख़ार[13]

पत्ती-पत्ती से हुआ रंगे-वफ़ा[14] का इज़हार[15]
नौ जवानाने चमन[16] बन गये तस्वीरें बहार[17]

रंगे गुल देख के दिल क़ौम का दीवाना हुआ
जो था बदख़्वाह चमन[18] सबज़ए बेगाना[19] हुआ

बू नख़वत[20] से नहीं याँ के गुलों को सरोकार
है बुज़ुर्गों का अदब इनकी जवानी का सिंगार

---

1. बाग, 2. हरा-भरा, 3. शिष्टता के विचार, 4. पर्दा, 5. हृदय के आइने, 6. निछावर, 7. जवानी, 8. ओस, 9. रोती हुई आँख, 10. कलेजा का रक्त, 11. बाग, 12. सभ्यता, 13. कंटक, 14. प्रेम का रंग, 15. प्रकाशन, 16. उद्यान के नवयुवक, 17. वसन्त का चित्र, 18. उद्यान का बुरा चाहने वाला, 19. पराया-ग़ैर, 20. गर्व की गंध।

इल्मो ईमाँ की तरावत[1] का दिलों में है गुज़ार[2]
धो गये चशमए इख़लाक़[3] से सीनों के गुबार[4]

रंग दिखलाती है यों दिल की सफ़ा[5] यारों में
रोशनी सुबह की जिस तरह हो गुलज़ारों में

किस को मालूम थी इस गुलशने इख़लास[6] की राह
मैंने फूलों को किया रंगेवफ़ा[7] से आगाह[8]

अब तो इस बाग़ पै है सबकी मोहब्बत की निगाह
जो कि पौधे थे शजर[9] हो गये माशा अल्लाह[10]

क्या कहूँ रंग जवानी में जो इस राग के थे
बाग़बाँ[11] हो गये गुलची[12] जो मेरे बाग़ के थे

गो कि बाक़ी नहीं क़ैफ़ीयते तूफ़ाने शबाब[13]
फँस के जंजाल में दुनिया के ये किस्सा हुआ ख़्वाब

मस्त रहता है मगर अब भी दिले ख़ाना खराब[14]
शाम को बैठके महफ़िल में लुटाता हूँ शराब

नश्श-ए इल्म की उम्मीद पै जीने वाले
सिमट आते हैं सरेशाम[15] से पीने वाले

---

1. ताज़ापन, 2. प्रवेश, 3. प्रीति के झरनें 4. दिलों के मैल, 5. सफाई, 6. प्रेमोद्यान, 7. प्रेम के रंग, 8. परिचित, 9. वृक्ष, 10. आश्चर्य के समय ईश्वर को सम्बोधित करने में यह शब्द प्रकट होता है, 11. माली, 12. फूल तोड़ने वाले, 13. जवानी, 14. बिगड़ा हुआ दिल, 15. शाम के होते ही।

और ही रंग ये है आज बहारे गुलशन
सैर के वास्ते आये हैं अज़ीज़ाने वतन[1]

फ़र्श[2] आँखें किये बैठे हैं जवा जाने चमन[3]
दिल में तूफ़ाने तरब[4] लब[5] पै मुहब्बत के सख़ुन[6]

कौन है आज जो इस बज़्म[7] में मसरूर[8] नहीं
रूहे सरशार भी खिंच आये तो कुछ दूर नहीं

मगर अफ़सोस ये दुनिया है मुक़ामे इबरत[9]
रंज की याद दिलाता है ख़याले राहत[10]

आज याद आती है उन फूलों की मुझको सूरत
खिलते ही कर गये जो मेरे चमन से रहलत[11]

चश्में बद्दूर[12] गुलों की ये भरी डाली है
चंद फूलों की मगर इस में जगह ख़ाली है

ये वो गुल थे जिन्हें अरबाबे नज़र[13] ने रोया
भाई ने बहिनों ने मादर[14] ने पिदर[15] ने रोया

खाक़ रोना था जो इस दीद ए तर[16] ने रोया
मुद्दतों उनको मेरे क़ल्बो ज़िगर[17] ने रोया

दिल पै कुछ दाग़े मुहब्बत है निशानी उनकी
बचपना देख के देखी न जवानी उनकी

---

1. देश प्रेमी, 2. नीची, 3. उद्यान-युवक, 4. आराम चैन, 5. होंठों, 6. प्रेमालाप, 7. महफिल, 8. प्रसन्न, 9. भय का स्थान, 10. आराम का ख़याल, 11 कूच, 12. बुरी दृष्टि से दूर, 13. दृष्टि रखनेवाला, 14. माता, 15. पिता, 16. भीगी हुई आँख, 17. हृदय, कलेजा।

ख़ैर दुनिया में कभी सोज़[1] है औ है कभी साज़[2]
नौ निहालाने चमन[3] की रहे अब उम्र दराज[4]

भाई से बढ़ के मुझे हैं ये माए-ए-नाज़[5]
मेरे मूनिस[6] हैं यही और यही हैं हमराज़[7]

मर के भी रूह मेरी दिल की तरह शाद[8] रहे
मैं रहूँ या न रहूँ ये चमन आबाद रहे।

---

1. रंज, 2. ख़ुशी, 3. उद्यान के नवयुवक, 4. बड़ी,

कृष्ण कन्हैया

आज की रात का दुनिया के लिए क्या है पयाम
हुस्न क़ुदरत का सरे शाम से है जलव ए आम

नूर बरसाते हैं तारों के छलकते हुए जाम
बन गया साज़े तरब[1] हस्तिये आलम[2] का निज़ाम

फ़र्श राहत पर अगर आँख झपक जाती है
बाँसुरी की मेरे कानों में सदा आती है

बे हिजाबी की उरूसाने चमन में है अदा
गुल का निकहत[3] से इशारह है कि परदा कैसा

दिल में पैवस्त हुई जाती है मोरों की नवा[4]
हुन बरसने को है कहती है यह पूरब की हवा

पेशवाई के लिए खल्कें-खुदा उट्ठी है
आज जमना के किनारे से घटा उट्ठी है

शबे तारीक के कब्ज़े में है ऐवान फ़लक[5]
झपक जाती है अँधेरे में सितारों की पलक

वो हवा है कि उड़े जाते हैं फ़ानूस तलक
नज़र आती रही बस्ती में चरागों की झलक

---

1. खुशी का बाज़ा, 2. संसार, 3. ख़ुशबू, 4. आवाज़, 5. आकाश।

सिर्फ़ जुगनू है जो दीवाना सिफ़त फिरता है
शमअ लेकर कभी उठता है कभी गिरता है

सनसनाती हुई आती है अँधेरों में हवा
शजर ओ शाख़ के नग़मे से है मामूर[1] फ़ज़ा

बिजलियाँ क़ौंदती है लाख गरजती है घटा
लै के बाहर नहीं होती है पपीहे की सदा

दर्द के नाम से नेमत इसे हाथ आई है
एक ही राग का दुनिया में ये शैदाई है

छा गया अब्र बरसने को हैं मेंह[2] के झाले
आप ही आप हुए जाते हैं दिल मतवाले

आँख कहती है यह बादल नहीं काले-काले
बाल खोले हुए हैं साँवली सूरत वाले

कश्ति-ए-फिक्र[3] बही जाती है जमना की तरफ़
दिल मेरा खेंच रहा है मुझे मथुरा की तरफ़

राह तारीक है और सर पै गरज बादल की
दूंगड़ा मेंह का है बूँदे नहीं हलकी-हलकी

शोख़ो तर्रार हसीं छोकरियाँ गोकल की
चली आती है सुराही लिये जमना जल की

---

1. भरी हुई, 2. बादल, 3. चिन्तन की नाव।

दिल लड़कपन की उमंगों पै मचल जाता है
खिलखिला पड़ती हैं जब पाँव फ़िसल जाता है

ये ख़ुशी है कि मनाना है कन्हैया का जनम
दिल में अरमान हज़ारों हैं मगर वक़्त है कम

नहीं सीने में समाता ये है दिल का आलम
आँख पड़ती है कहाँ और कहीं पड़ता है क़दम

एक को एक की सूरत जो नज़र आती है
मुस्करा देती हैं जब बर्क़ चमक जाती है

आज सोती हुई दुनिया की है क़िस्मत बेदार[1]
साल भर बाद वो रात आई है दिल जिस पै निसार

यही बिजली थी यही अब्र यही जोशे बहार
जब कन्हैया के जनम से हुई रौशन शबेतार

क़ैद ख़ाने[2] की सियाही में वो तारा चमका
जिससे इन्सान की हस्ती का सितारा चमका

था जो दुनिया को रहे रास्त पर लाना मंजूर
जलवा ए हक़ ने किया क़ालिबे ख़ाकी में जुहूर

जोशे रहमत से ग़नी[3] फ़ैज़ो करम से मामूर
ज़ुलमते[4] जेहल मिटाने को बढ़ा चशमए नूर

---

1. जागना, 2. कारावास, 3. माला-माल, 4. अँधेरा,

परदा-ए ग़ैब से मथुरा के चमन तक पहुँचा
बढ़ के मथुरा से कुरुक्षेत्र के रन तक पहुँचा

देखकर जंग के तूफ़ान में अर्जुन को उदास
यों दिया वाज़ कि हुशियार हो ऐ कुशतिये[1] पास

रूहों क़ाबिल की जुदाई प अबस[2] है विश्वास
जो मुसाफ़िर है वो मंजिल प बदलता है लिबास

रूह दुनिया की मुसाफिर है अजल मंज़िल है
इस सफ़र में जो खटकता है वो काँटा दिल है

साफ़ नीयत है तो बेकार है अंजाम का डर
पाक बंदे जो हैं रखते हैं फ़क़त हक़ प नज़र

ख़ुद रियाज़त[3] को समझते हैं रियाज़त का असर
फल के लालच में लगाते नहीं नेकी का समर

उनकी आँखों में वही दाग़ वफ़ा प्यारे हैं
ख़ुद ग़रज़ के लिए जो आग के अंगारे हैं

फूल माया के जो खिलते हैं लुभाने के लिए
साँप बिच्छू हैं मुसाफ़िर के सताने के लिए

---

1. मारा हुआ, 2. बेकार, 3. योग

सिलसिला हस्तिए फ़ानी का मिटाने के लिए
बज़्में आलम से न जा लौट के आने के लिए

तेरी हस्ती का है जो राग भुला दे उसको
परदा ए साज़[1] हकीकत में छिपा दे उसको

किसलिये ख़ाक के पुतलों के लिए रोता है
देखने को है खुली आँख मगर सोता है

कुछ ख़बर है तुझे क्यों जान अबस खोता है
कौन करता है फ़ना कौन फ़ना होता है

दोस्त दुश्मन का मददगार वहीं जंग में है
एक सूरत[2] ग़ैर हस्ती है जो हर रंग में है

वही बिस्मिल है वही जौहरे शमशीर भी है
शोला ए शमअ[3] वही है वही गुलगीर भी है

ख़ुद मुसव्विर है वही और वही तसवीर भी है
वही हाकिम वही क़ैदी वही ज़ंजीर भी है

जौहरी भी है वही जौहरे आली भी वही
फूल भी है वही इस बाग़ का माली भी वही

तेरी आँखों से अगर दूर हो माया की नक़ाब
देख फिर क्या नज़र आते हैं अजीज़ और अहबाब

---

1. बाजा 2. सूरत पैदा करनेवाला, 3. चिराग बुझानेवाला

बे वफ़ाओं की मुरब्बत में न कर उम्र ख़राब
हक़ परस्तों की अमानत है तेरा जोरे शबाब

धर्म पर जो न फ़िदा हो वो जवानी क्या है
दूध की धार है तलवार की पानी क्या है

अब न अर्जुन है न वो ज्ञान का दरिया बाक़ी
न वो आँखें हैं न वो नूर का जलवा बाक़ी

दिल लुभाने को है दुनिया का तमाशा बाक़ी
दर्द बाक़ी है न वो दर्द का शैदा बाक़ी

बाँसुरी लेके नया राग सुना दे कोई
सो रहा है दिले मासूम[1] जगा दे कोई

फिर हो दुनिया में किसी हस्तिए कामिल का जुहूर
दिल में जिस के हो समाया हुआ ख़िदमत का सुरूर

जज़्ब-ए-ख़ैर की हो जिसको परस्तिश मंजूर
बादा-ए-शौक़ से हों जिसकी निगाहें मख़मूर

दिल को तसख़ीर[2] करें अंजुमन आरा होकर
हो न दुनिया से ख़फा दीन का प्यारा होकर।

---

1. दुःखी दिल, 2. वश।

गाय

तू वो मख़लूक[1] है ख़िलकत[2] में नहीं जिसकी गुनाह[3]
ली है क़ालिब[4] में तेरे रूहे मुहब्बत[5] ने पनाह[6]

तेरी सूरत में अयाँ[7] इंसान की चाह
रस भरी आँख समाई हुई अमृत में निगाह

नक्श[8] है दिल पे मेरे मोहनी सूरत तेरी
ख़ूब दुनिया के शिवाले में है मूरत तेरी

तन से तेरे अयाँ नर्मिए दिल[9] का ज़ौहर,
जोड़ बन्द ऐसे कि साँचे में बने हैं ढलकर

रंग काला हो कि उजला हो यह कहती है नजऱ
बिन्दराबन की वो है शाम ये मथुरा की सहर[10]

---

1. जीव, 2. स्वभाव, 3. दोष, 4. शरीर, 5. प्रेम की आत्मा, 6. शरण, 7. प्रकट, 8. अंकित, 9. हृदय की कोमलता, 10. प्रभात,

कंगरूए से ये नहीं चेहरा-ए नूरानी[1] पर
ताज क़ुदरत[2] ने सजा है तेरी पेशानी[3] पर

देखे जंगल में कोई शाम को तेरी रफ़्तार[4]
बेपिये जैसे किसी को हो जवानी का ख़ुमार[5]

मस्त कर देती है शायद तुझे क़ुदरत की बहार
वो उतरती हुई धूप और वो सब्जे का निखार[6]

एक पकगाम[7] पै शोखी[8] से मचलना तेरा
पी के जंगल की हवा झूम के चलना तेरा

साहबे दिल तुझे तस्वीरे वफ़ा[9] कहते हैं
चश्म-ए फ़ैज़े ख़ुदा[10] मर्दे ख़ुदा[11] कहते हैं।

दर्द मन्दों की मसीहा शुअरा कहते हैं
माँ तुझे कहते हैं हम लोग तो बजा[12] कहते हैं

कौन है जिसने तेरे दूध से मुँह फेरा है
आज इस क़ौम की रग-रग में लहू तेरा है

नाम जिसका है मुहब्बत वो है ईमां तेरा
कोई हो फ़ैज़[13] है सबके लिए एक साँ तेरा

ज़िन्दगी के लिए मोहताज है इन्सां तेरा
कौन बीमार नहीं बन्दए अहसां[14] तेरा

---

1. प्रकाश युक्त मुख, 2. प्रकृति, 3. मस्तक, 4. चाल, 5. नशा 6. दृश्य, 7. क़दम, 8. तेज़ी, 9. प्रेम की मूर्ति, 10. ईश्वर की उदारता का स्रोत, 11. मनुष्य, 12. उचित, 13. दान, 14. उपकार का ऋणी,

हल्क़ में दूध से तेरे जो तरी रहती है
ख़ुश्क टहनी तने लाग़र[1] की हरी रहती है

सूरतें याद हैं उन बच्चों की प्यारी-प्यारी
ज़िन्दगी की जिन्हें यक इक घड़ी थी भारी

तेरे दम से न रही यास[2] की हालत तारी[3]
हो गई उनके लिए दूध की नहरें जारी

कितने गिरते हुए पौधों को सम्हाला तूने
माँ जिन्हें छोड़ चली थी उन्हें पाला तूने

तेरे बच्चों ने किया अपने तईं हम पै निसार
अपनी गर्दन पै लिया पर्वरिशे क़ौम का बार

नज़र आती है जो हर फ़स्ल में खेती तैयार
है ये सच उनके लहू और पसीने की बहार

उनको मंजूर न होता जो मिटाना अपना
हिन्द की ख़ाक उगलती न ख़जाना अपना

अहलेदीं[4] ने तुझे जन्नत[5] का सहारा समझा
अपने ईमान की क़िस्मत का सितारा[6] समझा

---

1. निर्बल, शरीर, 2. निराशा, 3. छाई हुई, 4. धार्मिक जन, 5. स्वर्ग, 6. नक्षत्र,

शूरवीरों ने तुझे जान से प्यारा समझा
तुझको अकबर[1] ने सादा आँख का तारा समझा

आबरू क़ौम की है तेरी निगहबानी पर
यही दो हर्फ़ लिखे हैं तेरी पेशानी[2] पर

मिस्ल बच्चों के हैं तेरे दूध के हैं मतवाले
जो ज़ईफ़ी[3] सें पड़े रहते हैं बिस्तर डाले

मस्त रहते हैं तेरे फ़ैज़[4] से कस बल वाले
प्यार से कहते हैं माता तुझे बच्चे बाले

तेरी उल्फ़त[5] से उन्हें मुँह नहीं मोड़ा जाता
तेरी सूरत का खिलौना नहीं तोड़ा जाता

मेरे दिल में है मुहब्बत का तेरी सरमाया[6]
माँ के दामन से है बढ़कर मुझे तेरा साया

याद है फ़ैज़ तबीयत ने जो तुझ से पाया
ऐन क़िस्मत[7] जो तेरा नाम जबाँ पर आया

इस हलावत[8] से जो दावाए सख़ुन गोई[9] है
दूध से तेरे लड़कपन में ज़बाँ धोई है।

---

1. बादशाह का नाम, 2. मस्तक, 3. वृद्धावस्था, 4. दान, 5. प्रेम, 6. पूंजी, 7. प्रारब्ध, 8. माधुर्य, 9. काव्य-रचना।

क़ौमी मुसद्दस

(हिन्दू विश्वविद्यालय के सम्बन्ध में)

इलाही कौन फरिश्ते[1] हैं ये गदाय वतन[2]
सफ़ाया क़ल्ब[3] से जिनके ये बज़्म[4] है रौशन

झुकी हुई है सबों की लिहाज से गर्दन
हर एक ज़बाँ पै है ताज़ीम[5] औ अदब के सख़ून[6]

सफ़े[7] खड़ी हैं जवानों की और पीरों[8] की
ख़ुदा की शान यह फेरी है किन फ़क़ीरों की

फ़क़ीर इल्म के हैं इनकी दास्ताँ[9] सुन लो
पयाम[10] क़ौम का दुःख-दर्द का बयाँ सुन लो

ये दिन वो दिन है जो है यादगार हाँ सुन लो
है आज ग़ैरते क़ौमी[11] का इम्तहाँ सुन लो

यही है वक़्त अमीरों की पेशवाई[12] का
फक़ीर आये हैं कासा लिये गदाई का

---

1. देवता, 2. स्वदेश के फ़कीर, 3. हृदय की उज्जवलता, 3. महफ़िल, 5. प्रतिष्ठा, 6. वाक्य, 7. पंक्तियाँ, 8. वृद्धों, 9. कहानी, 10. जातीय लाज, 12. स्वागत।

जो अपने वास्ते माँगे ये वो फ़क़ीर नहीं
तमअ[1] में दौलत दुनिया की ये असीर[2] नहीं

अमीर दिल के हैं जाहिर के ये अमीर नहीं
वो आदमी नहीं जो इनका दस्तगीर[3] नहीं

तमाम दौलते ज़ाती[4] लुटा के बैठे हैं
तुम्हारे वास्ते धूनी रमा के बैठे हैं

सवाल इनका है तालीम का बने मंदिर
कलश हो जिसका हिमाला से औज[5] में बरतर[6]

इसी उम्मीद पै ये घूमते हैं शामों सहर[7]
सदा[8] लगाते हैं राहे ख़ुदा में ये कहकर

वो ख़ुद ग़रज़ हैं जो दौलत पै जान देते हैं
वही हैं मर्द जो विद्या का दान देते हैं

सवाल रद्द न हो इनका ये शर्त है तदबीर
इसी से पायेंगे ईमाने आबरू तौक़ीर

यही है तरक़्क़ीए क़ौमी के वास्ते अक्सीर
बहे उलूम[9] की गंगा पिये ग़रीब अमीर

विक़ारे क़ौम बढ़े दूर बेज़री हो जाये
उज़ड गई है जो खेती फिर हरी जो जाये

1. लालच, 2. क़ैद, 3. सहायक, 4. निजी संपत्ति, 5. ऊँचाई, 6. बढ़कर, 7. सुबह, 8. आवाज़ 9. विद्या।

जो हो रहा है ज़माने में है तुम्हें मालूम
कि हो गये हैं ग़ैर[1] किस क़दर फ़िनून उलूम[2]

तुम्हारी क़ौम से दौलत हुई है यों मादूम[3]
कि अब तरसते हैं पढ़ने को सैकड़ों मासूम[4]

वो ख़ुद तरसते हैं, माँ-बाप उनके रोते हैं
तुम्हारी क़ौम के बच्चे तबाह होते हैं

ये बेगुनाह उसी क़ौम के हैं लख़्ते जिगर[5]
कि हुस्ने तुम को भी पाला है सूरते मादर[6]

जिगर पै क़ौम के इफ़लास[7] का चले ख़ंजर
ग़ज़ब ख़ुदा का तुम्हारे दिलों पै हो न असर

उसी से बेख़बरी जिसके दम से जीते हो
उसे रुलाते हो जिस माँ का दूध पीते हो

ये क़हत[8] क्या है ये ताऊन क्या है क्या है वबा[9]
तुम्हारी क़ौम पै नाज़िल[10] हुआ है क़हरे ख़ुदा

जो राहेरास्त से होती है कोई क़ौम जुदा
इसी तरह उसे मिलती है एक रोज़ सज़ा

इसी तरह से हवा क़ौम की बिगड़ती है
इसी तरह से ग़रीबों की आह पड़ती है

---

1. महँगे 2. कला-कौशल 3. मिट गई 4. बालक 5. कलेजे के टूकड़े 6 माता की तरह 7. ग़रीबी 8. दुर्भिक्ष 9. आफ़त 10 गिरा।

गुनाह क़ौम के धुल जाये अब वो काम करो
मिटे कलंक का टीका वो फ़ैज़ आम[1] करो

निफ़ाक़ी[2] जहल[3] को बस दूर से सलाम करो
कुछ अपनी क़ौम के बच्चों का इन्तज़ाम करो

ये काम होके रहे चाहे जाँ रहे न रहे
ज़मी रहे न रहे आस्माँ रहे न रहे

ये कारे ख़ैर[4] में कोशिश ये क़ौम का दरबार
लगा दो आज तो चाँदी के हर तरफ़ अम्बार[5]

ये सब कहें कि है ज़िन्दा ये क़ौम ग़ैरतदार[6]
है इसके दिल में बुज़ुर्गों की आबरू का वक़ार[7]

सरों में हुब्बे वतन[8] का जुनून[9] बाकी है
रगों में भीषमो अर्जुन का ख़ून बाक़ी है

मिसेज़ बेसेन्ट के अहसान की तुम्हें है ख़बर
किया निसार बुढ़ापा तुम्हारे बच्चों पर

शरीक वो भी हैं इस कार ख़ैर के अन्दर
न आँख उनकी हो नीची रहे ये मद्देनज़र

मिटे न बात कहीं तुम पै मिटनेवालों की
तुम्हारे हाथ है शर्म उन सफ़ेद बालों की

---

1. व्यापक दान 2. द्वेष 3. मूर्खता 4. नेककाम 5. ढेर 6. लज्जावान 7. प्रतिष्ठा 8. स्वदेश प्रेम 9. उन्माद।

तुम्हारे वास्ते लाज़िम है मालवी का भी पास
कि जिसकी ज़ात से है अटकी हुई है क़ौम की आस

लिया ग़रीब ने घर-बार छोड़कर बनवास
जो ये नहीं हैं तो कहते हैं फिर किसे सन्यास

तमाम उम्र कटी एक ही क़रीने[1] पर
गिराया अपना लहू क़ौम के पसीने पर

इसी के हाथ में है क़ौम का संवर जाना
तुम्हारी डूबती किश्ती[2] का फिर उभर जाना

जो तुमने अब भी न दुनिया में काम कर जाना
तो ये समझ लो कि बेहतर[3] है इससे मर जाना

गज़ब हुआ जो दिल इसका भी तुम से ऊब गया
गिरा इस आँख से आँसू तो नाम डूब गया

घटाएँ जहल[4] की छाई हुई हैं तीर ओ तार[5]
ये आरज़ू है कि तालीम से हो बेड़ा पार

मगर जो ख़्वाब से अब भी न तुम हुए बेदार[6]
तो जान लो कि है इस क़ौम की चिता तैयार

मिटेगा दीन भी और आबरू भी जाएगी
तुम्हारे नाम से दुनिया को शर्म आएगी

---

1. ढंग, 2. नाव, 3. उत्कृष्ट, 4. नादानी, 5. अँधेरी, 6. जागृत,

जो इस तरह हुआ दुनिया में आबरू का ज़वाल[1]
तो काम आयेगा उक़्बा[2] में क्या ये दौलतो माल

करो ख़ुदा के लिए कुछ मरे हुओं का ख़याल
न हो तुम्हारे बुज़ुर्गों की हड्डियाँ पामाल

ये आबरू तो हज़ारों बरस में पाई है
न यों लुटाओं कि रिषियों की ये कमाई है

लुटाओं नाम पै दौलत अगर हो ग़ैरतदार
पुकार उठे ज़माना कि है ये पर उपकार

है ज़ोर हिम्मते मर्दाना[3] क़ौम को दरकार
वरक़ उलट दो ज़माने का मिल के सब इक बार

अगर हो मर्द न यों उम्र रायगाँ[4] काटो
ग़रीब क़ौम के पैरों की बेड़ियाँ काटो

ये काटें ख़ैर वो हो कि नाम चारसू[5] रह जाय
तुम्हारी बात ज़माने के रूबरू रह जाय

जो ग़ैर हैं उन्हें हँसने की आरज़ू[6] रह जाय
ग़रीब क़ौम की दुनिया में आबरू रह जाय

ज़रा हमैयतो ग़ैरत[7] का हक़ अदा कर दो
फ़क़ीर क़ौम के आये हैं झोलियाँ भर दो

---

1. अवनति, 2. परलोक, 3. मानुषिक साहस 4. व्यर्थ 5. चारों ओर 6. कामना 7. शिष्टता और लज्जा

यहाँ से जायँ तो जायें ये झोलियाँ भरकर
लुटाएँ इल्म की दौलत तुम्हारे बच्चों पर

इधर हो नाज़ ये तुम को कि ख़ुश गये ये बशर[1]
जो हो सका वो किया नज़्र, इनके टेक के सर

यही हो फ़ख़्र जवानों का और पीरों का
सवाल मदद न किया क़ौम के फ़क़ीरों का।

---

1. आदमी

देहरादून की सैर

यहीं बहार का पहले पहल हुआ था शिगून[1]
अजीब ख़ित्तए दिलकश[2] है शहर देहरादून

निगाहें शौक़ ने क्या कहिये क्या समां[3] देखा
नई ज़मीन नया रंगे आस्मां देखा

सुना जो करते थे वह बागे पुर फ़िज़ा[4] है यही
अगर पहाड़ है जन्नत[5] तो रास्ता है यही

अज़ल में थी जो फ़िज़ा[6] उसकी यादगार है ये
नशेब कोह में गहवार ए बहार है ये

किया नहीं इसे ग़ारत बशर की सनअत ने
ये सब्ज़ाज़ार सजाया है दस्ते क़ुदरत ने

सिपुर्द अब्र के है इंतज़ाम पानी का
हवायें सर्द को है हुक्म बाग़बानी का

तमात शहर है गर्दो ग़ुबार से ख़ाली
जिधर निगाह उठे उस तरफ है हरियाली

---

1. सकुन 2. हृदय को लुभाने वाला 3. दृश्य 4. आनन्दमय-सुशोभित 5. स्वर्ग 6. अनादि काल में

लिबास[1] पहिने हैं कुल संगोख़श्त[2] सब्ज़े का
बजाय ख़ाक के उड़ता है रंग सब्ज़े का

असर ख़िज़ाँ[3] का हो क्या ताज़गी के मसकन[4] में
पहाड़ उसको छिपाये हैं अपने दामन में

घने दरख़्त हरी झाड़ियाँ ज़मी शादाब[5]
लतीफ़[6] सर्द हवा पाक साफ़ चश्मए आब[7]

कभी-कभी नहीं शादाबियों[8] के सामां[9] में
ठहर गई है बहार आके इस गुलिस्ताँ[10] में

तिलिस्मे हुस्न[11] का है बीच में ये गुलदस्ता
खड़े हैं कोहोशजर[12] पहलुओं में सफ़बस्ता[13]

यहाँ जो आके मुसाफ़िर मुक़ाम करते हैं
ये सन्तरी उन्हें पहले सलाम करते हैं

जो दूर जाइये बस्ती से और ही है समाँ
यह सोचता है पहाड़ों को देखकर इन्साँ

बशर[14] पै रोब यह क़ुदरत का छा गया कैसा
ये बल ज़गीन की त्योरी पै आ गया कैसा

---

1. पोशाक 2. कंकर-पत्थर 3. पतझर 4. नवीनता का निवास स्थान 5. हरी-भरी 6. शीतल और मंद वायु 7. जल-स्त्रोत 8. हरियाली 9. सामान 10. बाग़ 11. सौन्दर्य का जादू 12. पर्वत और वृक्ष 13 श्रेणी बद्ध 14. आदमी।

बुलन्दियों[1] से हो जो मायले नशेब नज़र[2]
फ़रेब[3] देता है यहीं का पेचोख़म[4] अकसर

निगाह को दूर से पानी है यों नज़र आता
सफ़ेद नाग चला जा रहा है बल खाता

क़रीब होता है आख़िर ये दौर[5] का आलम[6]
निगाह देखती है फिर सुरूर[7] का आलम

फ़िजाय कोह[8] में ऐसी हवा समाती है
बशर की रूह को राहत[9] की नींद आती है

बस एक आलमे हूँ[10] चार सिम्त तारी है
न शोर शर है न दुनिया की आहोज़ारी है

असर दिखाता है क़ुदरत का नग़म-ए-दिलग़ीर
शजर हजर से टपकती है राग की तासीर

ये राग वो है जो मिज़राब का असीर नही
ये सिर्फ़ कान के पर्दों में गोशागीर नहीं

वही सुनेगा इसे दिल गदाज़ है जिसका
हो दिल में सोज़ तो रग-रग में साज़ है इसका

---

1. ऊँचाइयों 2. नीचे की ओर दृष्टि जाये 3. धोख़ा 4. बहाव लहरों का खम पेंच 5. दृश्य 6. क़ैफ़ियत 7. आनन्द 8. पर्वतों की बहार 9. चैन 10. ख़ामोशी

ये राग मुझमें समाया सुरूरे[1] मैय होकर
हविस[2] थी रूह को मिल जाय इसमें लय होकर

हरीम ख़ास[3] में क़ुदरत की बारयाबी[4] थी
निगाहे शौक़ में क़ुदरत की बेहिजाबी[5] थी

नशिस्त[6] संग पै थी साय-ए शजर[7] के तले
रवाँ[8] था चश्म-ए-आबे ख़ुनक[9] नज़र के तले

शरीक हाल थी बज़ एक़ दीम[10] क़ुदरत की
अयाँ[11] थी संगोशजर से कशिश मुहब्बत की

शराबे हुसने हक़ीक़ी से था हर एक सरशार
शजर था, कोह था चश्मा था या ये मुश्त ग़ुबार

दरख़्तों कोह हैं क्या ज़ात पाक इन्साँ क्या
तयूर क्या है हवा क्या है अब्रबाराँ क्या

यह मौजे हस्तिए बेदार के अनासिर हैं
सब एक काफ़िल-ए-शौक़ के मुसाफ़िर हैं

ये दिल के टुकड़े हैं क़ुदरत के इनमें बैर नहीं
सब एक गोद के पाल हैं कोई ग़ैर नहीं

---

1. मद्य का नशा 2. कामना 3. घर में 4. मौजूदगी 5. बेपर्दिगी 6. बैठक 7. वृक्ष 8. जारी 9. ठण्डे पानी का सोता 10. पुरानी चाल 11. प्रकट

इन्हीं से नग़म-ए क़ुदरत[1] है औज[2] पस्ती[3] में
सब एक साज़[4] के पर्दे हैं बज़में हस्ती[5] में

जुदा किसी से भी हस्ती6 का अपनी राज[7] नहीं
कुछ आबशार[8] में और हम में इम्तियाज़[9] नहीं

है जिस्म ख़ाक यहाँ उसका जिस्म पानी है
जो रूह हम में है उसमें वही रवानी[10] है

इसी ख्याल में तब ऐ लतीफ़[11] थी सरशार[12]
कुछ ऐसी बेख़बरी थी कि होश उस पै निसार[13]

दिल अपने रंग में बेताब[14] था इस अरमाँ[15] से
कि इस फ़िजा[16] में हो आबाद रूह ज़िन्दा[17] से

अजल[18] जो आये तो इस कोहसार के नीचे
बने मज़ार किसी आबशार के नीचे

ग़रज़ कि रूह की आँखों से ये समाँ देखा
अज़ल के दिन जो छूटा था वो आशियाँ देखा

नया सुरूर[19] मयस्सर हुआ सफ़र करके
मगर न सैरे चमन कर सके नज़र भर के

---

1. प्राकृतिक राग 2. ऊँचाई 3. निचाई 4. सजावट 5. दुनिया की महफिल 6. ज़िन्दगी 7. भेद 8. झरना 9. फर्क़्-पहचान 10. बहाव 11. ताज़ात बीयत 12. मतवाली 13. निछावर 14. बेचैन 15. कामना-इच्छा 16. बहार 17 कारागर 18. मृत्यु 19. आनन्द

नसीब दिल को रहा ऐसे मेज़बाँ[1] से नियाज़[2]
कि जिसकी ज़ात पै है ख़ाक देहरादून को नाज़[3]

वो ज़ात क्या है कि तस्वीर है अमयत[4] की
उसी से शरह हुई लफ़्ज़े आदमीयत की

1. अतिथि को ठहराने वाला, 2. भेंट, 3. घमण्ड, 4. शिष्टता

आसफ़ुद्दौला का इमामबाड़ा

आसफ़ुद्दौला-ए-मरहूम की तामीरे कुहन[1]
जिसकी सनएत[2] का नहीं सफ़-ए हस्ती पै जवाब

देख सईय्याह[3] इसे रात के सन्नाटे में
मुँह से अपने महेकामिल[4] ने जब उलटी हो नक़ाब

दरो दीवार नज़र आते हैं क्या साफ़ो सुबक
सेहर करती है निगाहों पै ज़िया-ए-महताब[5]

यही होता है गुमा खाक़ से मस इसको नहीं
है सम्हाले हुए दामन में हवाए शादाब

यक ब यक दीद अ ए हैराँ को ये शक होता है
ढ़ल के साँचे में ज़मी पर उतर आया है सहाब

बेखुदी कहती है आया यह फ़िज़ा से क्यों कर
किसी उस्ताद मुसव्विर का है यह जलव-ए ख़्वाब

एक अजब मंजरे दिलगीर नज़र आता है
दूर से आलमे तस्वीर नज़र आता है

---

1. पुरानी इमारत 2. कला 3. मुसाफिर 4. पूर्णमासी का चन्द्रमा 5. चन्द्रमा का प्रकाश

शौक़ तो शान इमारत की ख़बर देता है
परद-अए शब के सरकने पै सहर का आगाज़

वो सफेदी सहरे नूर की हल्की-हल्की
आशियाँ छोड़के जब करते हैं ताइर परवाज़

ऐसे आलम में वो कोहरे से उभरना उसका
जैसे मौज़ो के तलातुम से नुमायाँ हो जहाज़

होते हैं गुम्बदों मीनार फ़िज़ा में ज़ाहिर
बढ़ के होती हैं ज़ियारत से निगाहें मुमताज़"[1]

जगमगाता है शुवावो[2] में ये ऐवान बलन्द
जिसकी सन्अ का है दुनियाँ से निराला अन्दाज़

पारह[3] चोव के एहसाँ की ज़रूरत न रही
ख़ाक और ख़िशत[4] ने मिलकर ये दिखाया एजाज़

इसकी तामीर को आए नहीं मेमारे फिरंग
है ये तहज़ीब अवध के लिए सरमाए नाज़

बच गया ख़ाक के परदे पै यह मिट्टी का तिलिस्म
गो ज़माने की हवा इसके लिए, थी नासाज़

इस के साए में गिरा ताजे हुकूमत सर से
इसने देखा ये ज़माने का नशेब और फ़राज़

---

1. आदरपाती है 2. किरन 3. लकड़ी 4. ईंट।

मिल गए ख़ाक में सब इसके बसाने वाले
कुछ शजर हाय कुहन अब हैं पुराने दम साज़

क्या सरेशाम उदासी का समा रहता है
दरो दीवार से कर जाती है रौनक़ परवाज़

धूप उतरती हुई आँखों को ये दिखलाती है
दिले मजरूह[1] का हर खिप्त में है सोजो गुदाज़

जिस के फ़ैजाने हुकूमत का करिश्मा है ये
उसके साए में है सोया हुआ वो ख़ल्क़े नवाज़

उसकी हिम्मत की बलन्दी है बलन्दी इसकी
उसके इख़लाक़ की वसत का है इसमें अंदाज

जब जियारत[2] को मुहर्रम में बशर आते हैं
चाँदनी रात में आती है फ़लक से आवाज़

बे अदब[3] सामने है ईजा अजब दर्गाहस्त
सिजदा गाहे मलको रौज़-ए शाहन शाहस्त।

---

1. ज़ख़्मी 2. दर्शन 3. इस दरगाह में अदब के साथ पाँव रख, क्योंकि यह ऐसी जगह है कि जहाँ फरिश्ते सिर झुकाते हैं और यह बादशाह का मक़बरा है।

नौहाजात

(बिशन नारायण दर की मृत्यु पर शोक)

सदमए आम[1] ये क़ौम का प्यारा न रहा
बेजबानों की ज़बाँ दिल का सहारा न रहा

गुलशने इल्मो अदब[2] का चमन आरा[3] न रहा
मतलए दानिशो बीनिश[4] का सितारा न रहा

सब ये ग़म एक तरफ़ एक तरफ़ ग़म अपना
जिससे दुनिया नहीं वाकिफ़ वो है मातम[5] अपना

हमने देखे हैं तेरे अश्के मुहब्बत[6] अकसर
जिन पै सदक़े[7] हैं ज़बाँ और क़लम के जौहर

दो नगीने थे हमैयत[8] के तेरे क़ल्बो जिगर[9]
हुई ग़ैरों को न इस पाक ख़ज़ाने की ख़बर

ज़ाहिरी हुस्ने लियाक़त[10] के ये दीवाने हैं
शमअ देखी नहीं फ़ानूस के परवाने हैं

दौलते इल्मो हुनर से नहीं दुनिया ख़ाली
बज़्मे आलम की ये रौनक़ नहीं जानेवाली

---

1. सर्व साधारण को शोक पहुँचाने वाला दुःख 2. विद्या और शिष्टाचार का उद्यान 3. बाग़ को सजाने वाला 4. बुद्धिमान और दूरदर्शिता के आकाश 5. रंज 6. प्रेम के अश्रु 7. निछावर 8. परहेजगारी 9. दिल और कलेजा 10. लियाक़त की खूबी।

पर है कमयाब[1] वो जौहर वो फ़रिश्ते आली[2]
आदमियत की बिना जिसने अज़ल[3] में डाली

कुछ बड़ी बात नहीं फ़ाज़िले दौराँ[4] होना
आदमी के लिए मअ़राज[5] है इन्साँ होना

आदमीयत की ये तस्वीर मिटी जाती है
हुस्ने इख़लाक़[6] की तदबीर मिटी जाती है

जज़-ब-ए ख़ैर[7] की तौक़ीर[8] मिटी जाती है
हम मिटे जाते हैं तक़दीर मिटी जाती है

दिले मायूस[9] मुहब्बत का ग़िज़ा ख़ाना[10] है
अपनी आँखों में ये दुनिया नहीं वीराना है

है नज़र में तेरा हस्ती के सितारे का ज़वाल
वो शबेग़म की स्याही वो मरज़ का भूचाल

तब भी सौदाय वतन था तेरा जीने का मआ़ल
ख़ौफ़ कहते है किसे मौत का आया न ख़याल

काहिशेतन से तबीयत की जिला कम न हुई
रोशनी शमअ़ की घुलने से ज़रा कम न हुई

---

1. कम प्राप्त 2. उच्च स्वभाव 3. प्रारम्भ-आदि 4. ज़माने में लायक़ विद्वान 5. सीढ़ी 6. सदाचार की श्रेष्ठता, 7. भलाई का भाव 8. प्रतिष्ठा 9. निराश 10. खाने की जगह।

तुझको योगी कहूँ या आलमे बाला[1] का सफ़ीर[2]
था अलग अहले जहाँ[3] से तेरी मिट्टी का ख़मीर[4]

आँच दुनियाय दिनी[5] की जो रही दामनगीर[6]
क्या सबक रूह[7] को लेना था यहाँ रह के असीर[8]

क्या इसी तरह से फ़ितरत की सफ़ा[9] मुमकिन थी
क्या इसी आग से जलने से जिला[10] मुमकिन थी

रविशे आम[11] से तुझको न सरोकार रहा
जौहरे ख़ास[12] का हस्ती[13] से तलबगार रहा

गो कि[14] जंजाल में दुनिया के गिरफ़्तार रहा
अपने दामन को समेटे हुए हुशियार रहा

रंगे दुनिया से रहा आलमे फ़ानी[15] में जुदा
जैसे लहरों से कमल रहता है पानी में जुदा

तुझको मालूम न था दौलते दुनिया क्या है
हिस क्या शै है ज़रोमाल का सौदा क्या है

खूँ परस्ती का ज़माने में तक़ाज़ा क्या है
ऐश क्या चीज़ है, राहत की तमन्ना क्या है

---

1. परलोक 2. संदेश लाने वाला 3. सांसारिक योग 4. तत्त्व 5. सांसारिक वासनाएँ 6. लिपटी हुई 7. आत्मा 8. क़ैद, 9. तबीयत की सफ़ाई 10. प्रकाश-उज्जवलता 11. साधारण ढंग 12. ख़ास हुनर प्रधान गुण 13. दुनिया 14. यद्यपि 15. नाशवान-संसार।

तू न समझा कभी ग़ैरों की मदद के ग़म में
अपनी राहत का भी सामान है इस आलम[1] में

कारे दुनिया[2] में गिरफ़्तार है जो दुनियादार
उनको देखा है तेरी बेख़बरी से बेज़ार[3]

तू कहाँ और कहाँ उनकी नज़र का मैयार[4]
फूल जो उनके लिए हैं वो तुझे थे ख़सखार[5]

लुत्फ़[6] इस बेख़बरी का वह उठायें क्योंकर
ख़ाक में लोटते हैं अर्श[7] पै जायें क्योंकर

ख़िलअते नूर[8] तबीयत को दिया क़ुदरत ने
आबरू इल्म ने दी ज़र्फ़[9] दिया ग़ैरत ने

ख़ुदपसन्दी[10] को गवारा न किया आदत ने
सात पर्दों से निकाला तुझे ख़ुद शुहरत[11] ने

तू मगर जौहरे-ज़ाती[12] को दबाता ही रहा
अपने दामन में चिराग़ अपना छिपाता ही रहा

शुहर ऐ आम को समझा न लियाक़त का सिला
नुक्ताचीनों से शिकायत न रक़ीबों से गिला

---

1. दुनिया 2. सांसारिक कार्यों 3. दुःखी 4. तौलने का काँटा 5. कूड़ा-करकट 6. मज़ा 7. आकाश 8. प्रकाश का ज़ेबर-पोशाक 9. साहस 10. गर्व 11. प्रसिद्धि 12. निजी गुण

दीद-ए-गैर[1] में खटकी न तबीयत की जिला[2]
तू ज़माने से माहे नौ[3] की तरह झुक के मिला

आजिज़ी दिल की झलकती रही पेशानी[4] से
तू वो दरिया था जो वाकिफ़ नहीं तुग़यानी[5] से

दिल मुहब्बत पे फ़िदा[6] आँख मुरव्वत से ग़नी[7]
तुझको दुश्मन की भी मन्जूर न थी दिल शिकनी[8]

मगर इंसाफ़ के हक़ में हो अगर नेशज़नी[9]
फिर न था तुझसे ज्यादा कोई जुरअत[10] का धनी

शेर नर मारक-ए-आम[11] की सरगरमी में
तिफ़्ले मासूम[12] से मिलता हुआ दिल नरमी में

आजकल महरो-वफा[13] में है तिजारत की अदा[14]
कोई बेबस का नहीं दोस्त बजुज़[15] ज़ाते ख़ुदा

यों हुआ करते हैं याराने कुहन[16] दिल से जुदा
जैसे पत्तों से गिरा देती है पानी को हवा

जिसका इक़बाल जमाने में चमक जाता है
उसको बचपन के रफ़ीक़ों से हिजाब आता है

---

1. पराइ दृष्टि 2. सफ़ाई 3. नया चन्द्रमा 4. मस्तक 5. सैलाब 6. आसक्त 7. मालदार 8. दिल तोड़ना 9. डंक मारना 10. साहस 11. समर-क्षेत्र 12. निर्दोष बच्चे 13. प्रीति, प्यार 14. व्यापारी ढंग 15. सिवाय 16. पुराने मित्र।

न हुआ फ़र्क़ तेरे रंगे मुहब्बत में अयाँ[1]
धूप दौलत की रही या रही अफ़लास[2] की छाँ

तेरी ख़िदमत से हो अहबाब[3] की मुश्किल आसाँ
दीन तेरा था यही और यही था ईमाँ

एक ही वज़अ[4] रही एक ही अंदाज़ रहा
अपने प्यारों की ग़ुलामी पै तुझे नाज़ रहा

बदनसीब ऐसे भी हैं तुझ से जो बेज़ार रहे
आके दुनिया में फ़क़त तेरे दिलाज़ार[5] रहे

ऐसे बेदर्द ज़माने के गुनहगार रहे
मगर अहसान से तेरे न सुबक सार[6] रहे

उन को शर्मिन्दा किया तूने मुहब्बत करके
ख़ुद गुनहगार हुए तुझसे अदावत करके

दिल हो तेरा सा तो दुनिया की हक़ीक़त क्या है
तन परस्ती[7] पै जो हो सर्फ़[8] वो दौलत क्या है

ग़ैर को जिससे न राहत हो वह राहत क्या है
जिसमें सौदा[9] न हो कुछ भी वह तबीयत क्या है

ज़िन्दगी यों तो फ़कत बाज़िए तिफ़लाना है
मर्द है जो कि किसी रंग में दीवाना है।

---

1. प्रकट 2. ग़रीबी 3. प्रेमी जन में 4. ढंग 5. दिल दुःखाने वाला 6. हल्के 7. शरीर की सजावट 8. ख़र्च 9. लगन।

गोपाल कृष्ण गोखले

लरज़[1] रहा था वतन जिस ख़याल के डर से
वो आज ख़ून रूलाता है दीद-ए-तर से

सदा[2] ये आती है फल-फूल और पत्थर से
ज़मीं पै ताज गिरा क़ौमे हिन्द के सर से

हबीब[3] क़ौम का दुनिया से यों रवाना हुआ
ज़मीं उलट गई क्या मुनक़लिब[4] जमाना हुआ

बढ़ी हुई थी नहूसत[5] ज़वाले पयहम[6] की
तेरे ज़हूर[7] से तक़दीर क़ौम की चमकी

निगाहें यास[8] थी हिन्दोस्तां पै आलम[9] की
अजीब शै[10] थी मगर रोशनी तेरे दम की

तुझी को मुल्क में रोशन दिमाग़ समझे थे
तुझे ग़रीब के घर का चिराग़ समझे थे

वतन को तूने सँवारा किस आबोताब[11] के साथ
सहर का नूर बढ़े जैसे आफ़ताब के साथ

---

1. काँपना 2. आवाज़ 3. प्रेमी 4. परिवर्तन 5. बदबख़्ती, दुर्भाग्य 6. लगातार अवनति 7. प्रकट होने 8. निराशा की दृष्टि 9. संसार 10. वस्तु 11. चमक-दमक।

चुने रिफ़ाह[1] के गुल हुस्ने इन्तख़ाब[2] के साथ
शबाब[3] क़ौम का चमका तेरे शबाब के साथ

जो आज नश्वोनुमा[4] का नया ज़माना है
ये इन्क़लाब[5] तेरी उम्र का फ़साना[6] है

रहा मिज़ाज में सौदाय क़ौम[7] ख़ूँ होकर
वतन का इश्क[8] रहा दिल की आरजू होकर

बदन में जान रही वक़्फे आबरू[9] होकर
रगों में अश्के मुहब्बत[10] रहे लहू होकर

ख़ुदा के हुक्म से आबोगिल[11] बना तेरा
किसी शहीद[12] की मिट्टी से दिल बना तेरा

वतन की जान पै क्या-क्या तबाहियाँ आईं
उमड़-उमड़ के जिहालत[13] की बदलियाँ आईं

चि़रागे अम्न[14] बुझाने को आँधियाँ आईं
दिलों में आग लगाने को बिजलियाँ आईं

इस इनतिशार[15] में जिस नूर का सहारा था
उफ़क पै क़ौम के वो एक ही सितारा था

---

1. नेकी 2. चयन की खूबी 3. जवानी 4. वृद्धि, उन्नति 5. परिवर्तन 6. कहानी 7. जाति की चिन्ता 8. प्रेम 9. इज्ज़त के लिए निछावर 10. प्रेमाश्रु 11. पानी और मिट्टी 12. प्राण देने वाला 13. मूर्खता 14. शान्ति का दीपक 15. बिखरना।

हदीसे क़ौम[1] बनी थी तेरी ज़बाँ के लिए
ज़बाँ मिली थी मुहब्बत की दास्ताँ[2] के लिए

ख़ुदा ने तुझ को पयम्बर[3] किया यहाँ के लिए
कि तेरे हाथ से नाक़ूस[4] था अज़ाँ के लिए

वतन की ख़ाक तेरी बारगाह आला[5] है
हमें यही नई मसज़िद नया शिवाला है

ग़रीब हिन्द ने तनहा[6] नहीं ये दाग़ सहा
वतन से दूर भी तूफ़ान रंज़ो ग़म का उठा

हबीब[7] क्या हैं हरीफ़ों[8] ने ये ज़बाँ से कहा
सफ़ीरे क़ौम[9] जिगर बन्द सल्तनत[10] न रहा

पयाम[11] शाह ने दिया रंजे ताज़ियत[12] के लिए
कि तू सितून[13] था ऐवाने सल्तनत[14] के लिए

दिलों पै नक़्श है अब तक तेरी ज़बाँ के सख़ुन[15]
हमारी राह में गोया चिराग़ हैं रोशन

फ़क़ीर थे जो तेरे दर के ख़ादिमाने वतन[16]
उन्हें नसीब कहाँ होगा अब तेरा दामन

---

1. जातीय मन्त्र 2. कहानी 3. ईश्वर का दूत 4. शंख 5. सर्वोच्च तीर्थ 6. अकेले 7. प्रेमी 8. शत्रुओं 9. जाति का एलची 10. साम्राज्य का प्यारा 11. सन्देश 12. मृत्यु का रंज 13. खम्भ 14. साम्राज्य के महल 15. वाक्य 17. स्वदेश प्रेमी।

तेरे अलम[1] में वो इस तरह जान खोते हैं
कि जैसे बाप से छुटकर यतीम रोते हैं

अज़ल[2] के दाम[3] में आना है यों तो आलम को
मगर ये दिल नहीं तैयार तेरे मातम को

पहाड़ कहते हैं दुनिया में ऐसे ही ग़म को
मिटा के तुझको अज़ल ने मिटा दिया हमको

जनाज़ा[4] हिन्द का दर[5] से तेरे निकलता है
सुहाग क़ौम का तेरी चिता में जलता है

रहेगा रंज ज़माने में यादगार तेरा
वो कौन दिल है कि जिसमें नहीं मज़ार[6] तेरा

जो कल रक़ीब[7] था है आज सोगवार तेरा
ख़ुदा के सामने है मुल्क शर्मसार[9] तेरा

पली है क़ौम तेरे साय ए करम[10] के तले
हमें नसीब थी जन्नत तेरे क़दम के तले।

---

1. रंज 2. मृत्यु 3. जाल 4. रथी 5. द्वार 6. क़ब्र 7. शत्रु 8. शोक मनाने वाला 9. अहसान मंद 10. उदारता और कृपा के साये में।

बालगंगाधर तिलक

मौत ने रात के परदे में किया कैसा वार
रोशनी सुबह वतन की है कि मातम का ग़ुबार

मार का दर्द है सोया है वतन का सरदार
तनतना शेर का बाक़ी नहीं सूनी है कछार

बेकसी छाई है तक़दीर फिरी जाती है
क़ौम के हाथ से तलवार गिरी जाती है

उठ गया दौलते नामूस वतन का वारिस
क़ौम मरहूम के एजाज़ कुहन का वारिस

जाँ निसारे अज़ली[1] शेर दकन का वारिस
पेशवाओं के गरजते हुए रन का वारिस[2]

थी समाई हुई पूरा की बहार[3] आँखों में
आख़री दौर का बाक़ी था ख़ुमार आँखों में

मौत महाराष्ट्र की थी या तेरे मरने की ख़बर
मुर्दनी छा गई इन्सान तो क्या पत्थर पर

---

1. पैदाइशी 2. उत्तराधिकारी 3. बसन्त।

पत्तियाँ झुक गईं मुरझा गये सहरा के शजर
रह गये जोश में बहते हुए दरिया थमकर

सर्द शादाब हवा रुक गई कुहसारों[1] की
रोशनी घट गई दो चार घड़ी तारों की

था निगहबाने वतन दबदब-अ-ए आम तेरा
न डगें पाँव ये था क़ौम को पैग़ाम तेरा

दिल रक़ीबों के लरज़ते थे ये था काम तेरा
नींद से चौंक पड़े सुन जो लिया नाम तेरा

याद करके तुझे मज़लूम वतन रोएँगे
बंदा-ए-रस्मे जफ़ा चैन से अब सोएँगे

ज़िन्दगी तेरी बहारे चमनिस्ताने वफ़ा
आबरू तेरे लिए क़ौम से पैमाने वफ़ा

आशिक़े नाम वतन कुशतए[2] अरमाने वफ़ा
मर्द मैदाने वफ़ा जिस्मे वफ़ा जाने वफ़ा

हो गई नज्रे वतन हस्तिए फ़ानी तेरी
न तो पीरी रही तेरी न जवानी तेरी

औज हिम्मत प रहा तेरी वफ़ा का ख़ुरशीद[3]
मौत के ख़ौफ प ग़ालिब रही ख़िदमत की उम्मीद

1. पहाड़ 2. वफ़ा के प्रेम में जान देनेवाला, 3. सूर्य।

बन गया क़ैद का फ़रमान भी राहत की नवेद[1]
हुए तारीकिए ज़िन्दाँ में तेरे बाल सफ़ेद

घिर रहा है मेरी नज़रों में सरापा तेरा
आह वह क़ैद सितम और बुढ़ापा तेरा

मोजिज़ा[2] अश्क मुहब्बत का दिखाया तूने
एक क़तरे से ये तूफ़ान उठाया तूने

मुल्क को हस्तिए बेदार बनाया तूने
जज़्ब अए क़ौम के जादू को जगाया तूने

इक तड़प आ गई सोते हुए अरमानों में
बिजलियाँ कौंद गई क़ौम के वीरानों में

लाश को तेरी सँवारे न रफ़ीक़ाने कुहन
हो ज़बाँ के लिए सन्दल की जगह ख़ाके वतन

तर हुआ है जो शहीदों के लहू से दामन
दें उसी का तुझे पंजाब के मज़लूम कफ़न

शोर मातम न हो झनकार हो ज़ंज़ीरों की
चाहिए क़ौम के भीषम को चिता तीरों की।

---

1. ख़ुशखबरी, 2. चमत्कार

गंगा प्रसाद वर्मा

किस के मातम में ये सामान सिया पोशी[1] है
कुछ अजब तरह की अहबाब में[2] सरगोशी[3] है

कहीं सक्ता[4] है कहीं आलमे-बेहोशी[5] है
ये तो मजमअ़[6] है और इस तरह की खामोशी है

कौन दिल सर्द हुआ ग़म हुआ ताज़ा किसका
क़ौम के सामने है आज जनाज़ा किसका

रंग चेहरे का ये कहता है कि दिल है नाशाद[7]
लब तक आते हुए रुकती है गले में फरियाद

क्या क़यामत है कि इस तरह हो महफ़िल आबाद
शाम हो जाय और आयें न गंगा परशाद

किसने इस बज़्मे नहूसत की बिना डाली है
जिसको सब ढूँढ़ते हैं उसकी जगह खाली है

पेड़ सर सब्ज़ हैं नालों में खाँ आब भी है
डूबती किरणों से फव्वारे में इक ताब भी है

---

1. काली पोशाक पहनना 2. मित्रों 3. कानाफूँसी 4. खामोशी 5. बेहोशी की हालत 6. समूह 7. उदासीन।

ग़ुले नौख़ेज़[1] भी है, सबजए शदाब[2] भी है
शाम का वक़्त भी है मजमए अहबाब[3] भी है

तू कहाँ है जो इस बाग़ का शैदाई[4] है
तुझसे मिलने के लिए फस्ले बहार आई है

हमको आसान नहीं दिल से मिटाना तेरा
एक दुनिया को भुलाना है भुलाना तेरा

सामने आँखों के गुज़रा है ज़माना तेरा
दरो-दीवार पै लिक्खा है फसाना[5] तेरा

इस चमन से जो सरेशाम हवा आती है
हमको अब तक तेरी बातों की सदा[6] आती है

लखनऊ का तुझे दमभर न गवारा था फ़िराक़
मर के इस ख़ाक का दामन न मिला रंज है शाक़

ले गया तुझको पहाड़ों में अजल का क़ज़्ज़ाक
रह गई जलवए आख़िर की निगाहें मुश्ताक़

दो क़दम लाश तेरी दोश पै हम धर न सके
आख़िरी फर्ज़ मुहब्बत का अदा कर न सके

---

1. नवीन खिले हुए फूल 2. हरा-भरा 3. मित्रों का जमघट 4. आसक्त प्रेमी 5. कहानी 6. आवाज़।

कुछ तुझे मादरे नाशाद[1] का आया न ख़याल
जोशे तूफ़ाँ में है कश्ती-ए-शकिस्ता[2] पामाल[3]

तेरे मातम में परेशाँ[4] हैं वो बर्फ़ से बाल
देख हिलती है ज़मीं सुन के ये दुखिया का सवाल

मुद्दतों याद में अपनी न रुलाना हर्गिज
मैं भी आती हूँ मुझे भूल न जाना हर्गिज

याद है महफिले आलम[5] में उभरना तेरा
क़ौमो सरकार की आँखों में सँवरना तेरा

और इस तरह से दुनिया से गुज़रना तेरा
ज़िन्दगी जिस पै है सदक़े[6] वो है मरना तेरा

मरने वालों को यहाँ भाई-बहन रोते हैं
मौत तेरी है कि सब अहले वतन रोते हैं

बढ़ गई शोमि-ए क़िस्मत की स्याही अफ़सोस
आ गई शहर के बेड़े पै तबाही अफ़सोस

क़ौम मैदाने सियासत पै कमर बाँधेगा
क़ौम के वास्ते सीने पै सिपर बाँधेगा

दर्दमंदी हुई पैरा तेरी राहत के लिए
दिल मुहब्बत के लिए आँख मुरब्बत के लिए

1. दुःखी माता 2. टूटी हुई नैया 3. बरबाद 4. हैरान 5. संसार की महफिल 6. निछावर।

ख़लक[1] ख़ालिक़[2] ने किया था तुझे ख़िदमत के लिए
ली थी बरसों से फ़कीरी इसी दौलत के लिए

दिल तेरा सरवते दुनियाँ[3] से न दमसाज़[4] रहा
क़ौम के दर की गदाई पै तुझे नाज़ रहा

बेखबर तब भी वतन से दिल नाशाद न था
क़ौम के ग़म से ज़ियादा ग़में औलाद न था

क़ौम करती थी फ़क़त तेरी ज़बाँ से फ़रियाद
बहसों तहरीक[5] के मैदाँ में क़लम था आज़ाद

तेरे अख़बार दिलायेंगे तेरे जोश की याद
दिल के टुकड़े हैं यही और यही तेरी औलाद

हों ख़बरदार तेरा इश्क जताने वाले
इन यतीमों से तेरा नाम चलाने वाले

जब ज़माने में तेरे औज की नौबत आई
ज़िन्दगी ख़तम हुई मौत की साअत आई

काम कुछ भी न जवानी की रियाज़त[6] आई
सुबह पीरी[7] नहीं आई कि क़यामत आई

रोशनी जिसकी थी हरसू[8] वो सितारा डूबा
मिट गई शामे अवध[9] क़ौम का तारा डूबा

1. पैरा 2. परमात्मा 3. सांसारिक संवृद्धि 4. अनुकूल 5. वाद-विवाद, आन्दोलन, 6. परिश्रम, 7. वृद्धावस्था का प्रभात 8. हर तरफ 9. अवध की संध्या

न सतायश[1] की तमन्ना न शिकायत का हिरास[2]
रहनुमा[3] मंज़िले हस्ती[4] में फ़क़त क़ौम का पास[5]

मुल्क के ऐसा से ख़ुश मुल्क के सदमे[6] से उदास
ज़िन्दगी तेरी थी मरदाने ख़ुदा[7] का संन्यास

योग कहते हैं किसे शाने इबादत[8] क्या है
ख़िदमते क़ौम नहीं है तो रियाज़त[9] क्या है

अपनी आँखों में समाई है तेरी मौत की रात
स्वर्ग से आये हैं देवता कि ऋषि की है बफात

जा के माबूद से मिलने ही को है तेरी ज़ात
तय हुआ जाता है यक आन में दरियाय नजात

अर्श से फ़र्श पै सामाने सफ़र आया है
चाँद किश्ती लिये गरदूँ से उतर आया है

यों तो दुनिया में हमेशा से है मरने का चलन
अपने बच्चों को निगलती है जमीं की नागिन

दाग़ देता है मगर जब कोई दिलोसोज़ वतन[10]
इसके सदमे से लरज़ता[11] है ये ऐवाने कुहन[12]

---

1. सराहना 2. रंज 3. पथ-प्रदर्शक 4. सांसारिक मार्ग 5. जाति की चिन्ता, 6. दुःख 7. भगवत भक्तों 8. भक्ति पूजा 9. परिश्रम, 10. स्वदेश के दुःख से दुःखी होनेवाला 11. काँपता है, 12. प्राचीन महल।

चाँदनी रात में जिस वक़्त हवा आती है
क़ौम के दिल के धड़कने की सदा[1] आती है

यों ही दुनिया में तुझे अहले नजर[2] रोते हैं
आँख में अश्क न हों कल्बो जिगर रोते हैं

आदमी क्या है शजर और हिजर रोते हैं
फूल शबनम की तरह शामोसहर रोते हैं

जिसको इन्सान भुला दे ये वो आजार नहीं
ये है वो ज़ख्म जो मरहम का तलबगार नही।

---

1. आवाज़ 2. दृष्टिवादी व्यक्ति-नज़र रखनेवाला।

इक़बाल नारायण मसयलादान

अभी ताज़ा दिलों में उस हबीबे क़ौम[1] का ग़म था
अज़ल[2] से जिसकी इस बस्ती में वीराने का आलम[3] था

जिगर पे लखनऊ के ये अकेला दाग़ क्या कम था
ख़बर किसको यह थी नज़दीक तेरा रोज़े मातम[4] था

मुहब्बत जिससे थी जिसको हमेशा पेशवा[5] समझा
अज़ल[6] के रास्ते में भी इसी को रहनुमा समझा

नहीं हटती निगाहों से तेरी तस्वीरे नूरानी[7]
वो चश्मे बामुरव्वत[8] वो कुशादह लौहे पेशानी[9]

हँसी का सहर[10] लब पर गुफ़्तगू का तर्ज़ लासानी[11]
न अबरू[12] पर शिकन[13] लाई कभी दिल की परेशानी

अभी कुछ रात बाकी है ये क़ुदरत का इशारा था
झलकता दूर ही से सुबहे पीरी[14] का सितारा था

सबक़ सीखा था फ़ितरत[15] ने तेरी ख़ुदनुमाई[16] का
लबे ख़ामोश[17] को दावा न था रंगीं नवाई[18] का

---

1. जाति का प्रेमी 2. मृत्यु का दिन 3. दृश्य 4. मृत्यु का शोक 5. नेता 6. मृत्यु 7. उज्ज्वल 8. प्रेम से युक्त 9. विशाल मस्तक 10. प्रभात 11. बेमिसाल 12. भौंह 13. ख़मदार 14. वृद्धावस्था का प्रभात 15. स्वभाव 16. घमण्ड 17. खामोश होंठ 18. वाणी सौन्दर्य।

न आदत ख़ुदपरस्ती[1] की न सौदा पेशवाई[2] का
चमकता था मगर जौहर तबीयत की सफ़ाई का

हलावत[3] थी वतन और क़ौम की ख़िदमत से जीने में
अमानत[4] थी ख़ुदा की इस दिले पुरदर्द सीने में

तेरे खुल्क़ों मुरब्बत[5] की भुलाएँ याद क्योंकर हम
ख़लिश[6] रखने को सीने में छिपाये हैं ये नश्तर हम

जो क़ायम था तेरे दम से वो शीराजा[7] हुआ बरहम[8]
तेरा लुत्फ़े सखुन[9] था दिल के ज़ख्मों के लिए मरहम

पयामे सुलह देना[10] शिकवए अहबाब[11] सुन लेना
तेरा शैवा[12] रहा काँटों से बचकर फूल चुन लेना

बहुत देखा हुआ है रंग दुनिया की रिफ़ाक़त[13] का
कहीं इश्के मरातब[14] है कहीं है रोब दौलत का

वफ़ा[15] बदनाम है बाज़ार खोटा है मुहब्बत का
मगर इस दाग़ से खाली था सिक्का तेरी उल्फत का

ये रुत्बा आदमी के वास्ते दुनिया में क्या कम है
अजीज़ों से ज़ियादा दोस्तों में तेरा मातम है

जगह ख़ाली है तेरी दिल पै सन्नाटा-सा है तारी
रुलाती है लहू अहबाब को यादे वफ़ादारी

---

1. घमण्ड 2. नेतृत्व की लगन 3. माधुर्य 4. धरोहर 5. प्रीति-प्यार 6. चिन्ह 7. समूह 8. तितर-बितर 9. काव्य चर्चा का आनन्द 10. संधि का संदेश 11. मित्रों से गिला 12. तरीका 13. मित्रता 14. पदवियों से प्रेम 15. प्रेम।

मगर सबसे ज़ियादा ज़ख्म उस बिस्मिल[1] का है कारी[2]
जो अपनी ज़िन्दगी समझा हुआ था तेरी ग़मख़्वारी[3]

लबे मायूस[4] पर उसके ये हसरत[5] का तराना है
कोई आगे रवाना है कोई पीछे रवाना है

न दौलत याद आती है न ग़म होता है सरवत[6] का
जिसे रोती है दुनिया वो है जौहर आदमीयत का

मआले ज़िन्दगी[7] है लाश पर आँसू मुहब्बत का
दुआए[8] ख़ैर मरने पर सिला[9] है हुस्ने ख़िदमत का

सफ़र इस रूह का भी तय हो रहमत[10] के उजाले में
ख़ुदा बख़्शे बहुत-सी ख़ूबियाँ थीं मरने वाले में।

---

1. घायल 2. गहरा 3. दुःख में साथ देना 4. निराश होंठ 5. पश्चाताप 6. सम्पत्ति 7. ज़िन्दगी का परिणाम 8. भले की इच्छा 9. पुरस्कार 10. ईश्वरीय दया।

महादेव गोविन्द रानाडे

ऐ आफ़ताब औज अमारत[1] कहाँ है तू
ऐ शम-ए बज़्म[2] हुस्ने लियाक़त कहाँ है तू

ऐ अन्दलीब बागे फ़साहत[3] कहाँ है तू
ऐ ख़िज्रे शाह राह[4] फ़रासत[5] कहाँ है तू

ऐ रह नवर्द आलमे बाला चगूना[6]
माबे तो ख़स्ता ईम तू बेमा चगूना

अफ़सोस आज बागे जहाँ में नहीं है तू
फैली है चार सिम्त मुहब्बत की तेरी बू

तू क्या गया वतन की गई तेरे आबरू
क्यों चश्मे यास ने न बहे ख़ूने आरज़ू

ख़िरमन जला उम्मीद[7] की खेती उजड़ गई
यें गुलशने मुराद पै क्या। ओस पड़ गई

तेरी तो रूह गुलशने जन्नत में है मुक़ीम
अहबाब रोते हैं तुझे बाहालते सक़ीम

---

1. समृद्धिशीलता का सूर्य 2. महफ़िल का चिराग 3. बाग की बुलबुल 4. उत्तभ पथ का प्रदर्शक 5. बुद्धिमत्ता 6. ऐ स्वर्ग के जाने वाले तू कैसा है, हम लोग तेरे बिना उदास हैं मालूम नहीं तेरी क्या दशा है 7. आशा।

दिल जानता है उनका जो सदम-ए-अज़ीम[1]
मरने से तेरे कौम मराठा हुई यतीम

कायम मकान इज्ज़तों ऐज़ाज[2] कब रहे
तुझसा सितूने आज़में शौकत[3] न जब रहे

सर चशम-ए करम[4] थी तेरी ज़ात बेगुमाँ
पाता था फ़ैज तुझसे हरइक पीरो नौजवाँ

माही औ मौज[5] इल्म थे तू बहरे बेकराँ[6]
पुरनूर[7] तेरे दम से था ये तीरह ख़ाकदाँ[8]

ममनून[9] तेरी ज़ात का हिन्दोस्तान था
अपने वतन का फ़ख़्र[10] मराठों की शान था

मैदान इस्मोफ़न में अजब इक्का ताज था
बस तुझसे दरतरकिक़ये क़ौमी का बाज़ था

आलम में सर बलन्द था और सरफ़राज था
अहले वतन को तेरी लियाकत पै नाज़ था

ज़ोरे कलम से शाहि-ए-मुल्के बयाँ मिली
बोसे[11] ले जिसके नुत्क़ वो प्यारी जबाँ मिली

---

1. भारी आघात 2. प्रतिष्ठा 3. महत्ता का उच्च खम्भ 4. उदारता का स्रोत 5. मछली और लहर 6. विशाल समुद्र 7. प्रकाश-युक्त 8. अँधेरा-घर 9. कृतज्ञ 10. गौरव 11. चुम्बन।

तहरीर इल्मो फ़ज़्ल[1] से तेरी थी इन्तख़ाब[2]
और सादगी न हुस्ने लताफ़त[3] में लाजवाब

तक़रीर[4] वो नूरे मआनी[5] की आबताब[6]
हरदम ज़बाँ भी शहदे फ़साहत[7] से कामयाब[8]

जब तक नफ़स[9] की तन में रवानी नहीं गई
क़ब्ज़े से तेरी सैफ़ ज़बानी[10] नहीं गई

इस तरह तेरे फ़ैज़ से थे बारयाब[11] हम
ज़र्रों[12] पै आफ़ताब का जिस तरह हो करम

झुकते थे तेरे सामने जी जाहँ से हशम
सर कौन सा था जो तेरे आगे नहीं था ख़म

तेरी ज़बान देती थी ताजा बिशारतें
होती है तेरे नक़्शे क़दम की ज़ियारतें

इस्लाह और रिफ़ार्म में सरगर्म था जो तू
तेरे मुरीद मुल्क़ में फैले थे चार सू

दिल में जो तेरे हुब्बे वतन[13] की थी आबरू
बाबस्ता तेरी ज़ात से थी सबकी आरज़ू

---

1. विद्वता 2. चुनी हुई 3. प्रसाद गुण 4. भाषण 5. अर्थ का प्रकाश 6. चमक-दमक 7. माधुर्य गुणरूपी मधु 8. सफल 9. हृदय 10. तीव्र वाक शक्ति 11. लाभ उठानेवाले 12. रजकणों 13. देश प्रेम।

अब साफ़ इख़तलाफ़[1] का दरवाज़ा खुल गया
हर फ़र्द[2] क्यों जुदा न हो शीराज़ाँ[3] खुल गया

कश्ती हो जैसे कोई तलातुम[4] में मुब्तिला[5]
और जोश में हो मौज-ओ गरदाब[6] जाबजा[7]

हो अब्रो बादो बर्क़[8] से तूफ़ान यक बया[9]
तारीक शब[10] की सेर पै हो छाई हुई बला

बरना[11] हो शोरे रअद[12] मआफ़िक हवा न हो
और साहिले मुराद[13] का कोसों पता न हो

लेकिन हो नाख़ुदा[14] कोई इस दर्ज़े होशियार
मँझधार से जो बच के हो जाता सूये कनार

कश्ती[15] को उन हवा के थपेड़ों से ले उभार
टकरा के टुकड़े-टुकड़े हो जिनसे हुबाब वार

धड़का ज़रा न उसके दिले पुर हमम को हो
आयें शिकन जिबीं पै न लगज़िश क़दम को हो

इतने में रंग और ही कहरे ख़ुदा करे
बिजली फलक से गिर के क़यामत बपा करे

---

1. फ़र्क़ 2. व्यक्ति 3. समूह 4. सैलाब 5. फँसी हुई 6. भँवर 7. स्थान-स्थान पर 8. बादल वायु और बिजली 9. संघटित 10. रात की अँधेरी 11. संघटित 12. बिजली की कड़क 13. मनोरथ का किनारा 14. खेवनहार 15. नाव।

उस नाख़ुदा की रूह को तन से जुदा करे
मँझदार में पड़ी हुई कश्ती बहा करे

गरदाब[1] मे फँसे कभी मौजों[2] में जा पड़े
क्या जाने इस पै बहर[3] में उफ़्ताद[4] क्या पड़े

तेरे फ़िराक़[5] में है यही हाल[6] क़ौम का
तू नाख़ुदाय किश्तिए इस्लाहे हाल था

तूफ़ाँ जो बुग्ज़ोजहलो तअस्सुब[7] का था वपा[8]
थी इन ख़राबियों में तेरी ज़ात रहनुमा[9]

तुझको तो मौत ले गई बागे नईम में
छोड़ा हमें दुआबए उम्मीदों बीम में

या ये कि राहे रास्त से गुमराह कारवाँ
शब को लुटा-पुटा किसी जंगल में हो खाँ

कुछ फासले पै दस्त में थक नूर हो अयाँ
समझे वो इसको मंज़िले[10] मक़सूद का निशाँ

दिल ख़ुश ये जानकर हो कि जाना किधर को है
रौशन वही चिराग है बस्ती जिधर को है

---

1. भँवर 2. लहरों 3. समुद्र 4. विपत्ति 5. वियोग 6. वर्तमान सुधारों की नाव का मल्लाह 7. ईर्ष्या, द्वेष या पक्षपात 8. संघटित 9. मार्ग दर्शक 10. गन्तव्य।

इतने में गर हवा से वो बुझ जाय नागहाँ[1]
हालत वो अहले क़ाफ़िला[2] की हो कि अल अमाँ[3]

नज़रों से हो गया है हमारी जो तू निहाँ[4]
अहबाब का तेरे वही आलम[5] है बेगुमाँ[6]

तू रहनुमाय कौम[7] था रोशन दिमाग़ था
और अपने बज़्में मुल्क[8] का चश्मो चिराग़[9] था

बज़्मे वतन में यों तो बहुत गुल हुए चिराग़
वीरान सैकड़ों गुलेतर कर गये ये बाग़

लेकिन ये है मुहाल कि सरसूरते फ़राग़
दिल से मिटे ये मादरे हिन्दुस्तां[10] के दाग़

बेहतर भी है यही कि ये मातम बपा रहे
ता हश्र दिल में ज़ख़्में मुहब्बत हरा रहे

कुत्बे हों संगो ख़श्त[11] के कितने ही उस्तबार
उनको मिटा ही देता है नैरंग रोज़गार

लेकिन जो तेरे मुल्क पै अहसाँ हैं बेशुमार
सब तेरे जोशे हुब्बे वतन के हैं यादगार

---

1. अचानक 2. पथिकों 3. त्राही-त्राही 4. गुप्त 5. दशा 6. बेशक 7. जाति का पथ प्रदर्शक 8. देश की महफ़िल 9. आँख और दीपक 10. मातृभूमि भारत 11. ईंट पत्थर।

तेरी ज़माने हाल से मदहत[1] कहेंगे ये
तहज़ीब[2] का वजूद[3] है जब तक रहेंगे ये

गुलज़ार क़ौम में अगर आये कभी बहार
तो ताज़ा होगी रूह तेरी भी नसीम वार[4]

पौधे तेरे लगाये हुए हैं जो बेशुमार
ताज़ा करेंगे ज़िक्र तेरा इनके बर्गोबार[5]

ख़न्दाँ[6] दिले मुराद[7] अगर इनमें होयेंगे
शबनम[8] की तरह याद में हम तेरी रोयेंगे।

---

1. प्रशंसा 2. सभ्यता 3. अस्तित्व 4. प्रभात की वायु की तरह 5. पत्ते और फल 6. हँसते हुए 7. हार्दिक मनोरथ 8. ओस।

एक जवाँमर्द दोस्त
(पं. प्रताप कृष्ण गुर्दू की मौत पर नौहा)

ऐ फ़िदा ए यासो हिरमाँ[1] ऐ शहीदे आरज़ू[2]
ख़ाक के दामन में कैसा बेख़बर सोया है तू

चश्मे दिल को बाइसे हैरत[3] है तेरी जुस्तजू[4]
फूल था पर हाथ से जाता रहा मानिन्द बू[5]

लाल ओ गुल से तबीयत तूने बहलाई नहीं
क्या हवा बाग़े जहाँ की तुझको रास[6] आई नहीं

क़ुलज़मे आलम[7] की तूने सैर की मिस्ले हुबाब[8]
ख़्वाब का नैरंग[9] था या था तेरा हुस्ने शबाब[10]

बर्फ़ का जलवा[11] था ये या क़ौसे क़ज़अ ऐ[12] आबबाब[13]
या शरर[14] या क़तर-ए शबनम[15] में अक्से आफ़ताब[16]

ख़ान-ए तन था तेरा सैले फ़ना के सामने
शमअ तेरी ज़िन्दगी की थी हवा के सामने

---

1. निराशा 2. कामनाओं पर मरनेवाला 3. आश्चर्य का कारण 4. तलाश 5. गंध की तरह 6. अनुकूल 7. एक नदी का नाम 8. बुलबुले की तरह 9. स्वप्न की दशा 10 जवानी का सौन्दर्य 11. बिजली की चमक 12. आकाश पर उगने वाला धनुष 13. चमक-दमक 14. चिंगारी 15. ओस की बूँद 16. सूर्य की परछाई।

एक दम में लुट गई तेरी जवानी की बहार
आह ऐसे भी ज़माने से गये हम सोगवार

ख़ुद मुरादें[1] और तमन्नाएँ[2] हैं तुझ से शर्मसार
दिल है पहलू में तेरे या आरज़ूओं का मज़ार

कौन कहता है कि है ज़ेरे कफ़न मैयत तेरी
ख़ाको खूँ में मुँह लपेटे हैं पड़ी हसरत तेरी

पाँव फैलाकर जो यों सोया हुआ है बेखबर
क्या है ख़्वाबे मर्ग में ख़्वाबे जवानी का असर

देख आँखें खोलकर आलम है क्या पेशे नज़र
आई है फ़िरदौस से सर पीटती रूहे पिदर

सर्वक़द[3] उट्ठा नहीं जाता अगर ताज़ीम[4] को
हाथ ही अपना हिला दे आख़िरी तसलीम को

कुछ ख़बर है मुझको ऐ दिलदाद-ए ख़्वाबे फ़ना[5]
है सरे बाली पै क्या है गाम-ए महशर बपा

ना रहा ये दर्द ये कैसे हैं ये मातम है क्या
चाक है किसका गरेबाँ कौन है सर धुन रहा

हैं तड़पता कौन दिल जीने से किसका सेर है
बाल किसने लाश पर खोले ये क्या अँधेर है।

---

1. कामनाएँ 2. इच्छाएँ 3. एक सीधे वृक्ष की तरह 4. प्रतिष्ठा 5. मौत की नींद सोया हुआ।

देख तेरी बेवए ग़मगीं[1] पै क्या उफ़ताद[2] है
महवे हैरत[3] यास से वो कुश्त-ए बेदाद है[4]

मुहरे ख़ामोशी लबों पर दिल में तेरी याद है
ख़ान-ए वीराँ की सूरत ख़ातिरे नाशाद है

ख़ाक आलूदा[5] मसर्रत हाय पिनहा हो गईं
आरजुएँ दिल में सब ख़्वाबे परीशाँ हो गईं

दर्द दिल उसका लबे ख़ामोश कह सकता नहीं
अश्के हैरत दीद-ए पुरनम से बह सकता नहीं

बन्द सीने में अगर तूफ़ाँ ये रह सकता नहीं
ये वो सदमा है कि दिल इन्सा का सह सकता नहीं

महवे हैरत हमनशीं है उसकी आहे सर्द से
सोज़िशे पिनहा[6] अयाँ[7] है उसके रंगे ज़र्द से

ख़्वाब में सुनता हो जैसे नग़म-ए शीरीं बशर
जिससे तारी दिल पै हो क़ैफ़ीयते जादू असर

ये नवाये रूह परवर बन्द हो जाए अगर
आँख खुलते ही स्याही शब की हो पेशे नज़र

---

1. दुःखी-विधवा 2. विपत्ति 3. आश्चर्य 4. जुल्म का मारा हुआ 5. धूल में सने हुए 6. गुप्त-शोक 7. प्रकट।

एक अजब आलम हो तब इसके दिले बेताब का
जागने पर उस घड़ी उल्टा गुमाँ हो ख़्वाब का

बस यही आलम है तेरी बेवए नाशाद का
नग़माह-ए ऐश से थे कान इसके आशना

हो गया है अब जो तेरा साज हस्ती बेसदा
किस तहैयुर[1] किस परेशानी में है वो बेनवा[2]

क्या कहे दर्दे जिगर मुँह से कहा जाता नहीं
तेरे मरने का उसे अब तक यकीं आता नहीं

मादरे नाशाद तेरी वो अज़ल की सोगवार
पहले ही उसकी निगाहों में थी दुनिया तंगोतार

तेरे दम से था बँधा शीराज़ा-ए सब्रोक़रार[3]
हाय इस बेबस का अब बेड़ा करेगा कौन पार

आज इसका मायये ताबो तवाँ जाता रहा
नाख़ुदा-ए किश्ति-ए बे बाद वाँ जाता रहा।

वो असीरे बेख़ुदी तेरी यतीमे ख़ुर्द साल[4]
फूल से चेहरे पै उसके है ज़मीं गर्दो मलाल

---

1. आश्चर्य 2. ग़रीब 3. धैर्यवान 4. अल्पायु।

कुछ तिलिस्मे आफ़रीनश[1] का नहीं खुलता मआल[2]
पीरे गर्दू[3] के सितम से मुझको को हैरत है कमाल[4]

हाय मासूमों[5] पै भी ज़ालिम तरस खाता नहीं
ये रुलाता है उन्हें रोना जिन्हें आता नहीं

क्या वो नादाँ[6] हैं जो कहते हैं बरुये एतबार[7]
मस्लहत[8] रहती हैं रंजो दर्द में भी आश्कार[9]

है फ़िसाना[10] यह हदीसे सब्रो तस्कीनो करार[11]
ख़्वाब हस्ती की नहीं ताबीर[12] ऐसी ज़ीनहार[13]

मैं निज़ामे दहर[14] में कुछ मस्लहत पाता नहीं
इस समन्दर का मुझे साहिल[15] नज़र आता नहीं

ख़ाक में तुझको मिलना था अगर बा अश्को आह
किसलिए तुझ पर हुई वा मंजिले हस्ती की राह

साथ तेरे क्यों मिले मिट्टी में इतने बेगुनाह[16]
ज़िन्दगी है जिनकी अब वाबस्त-ए हाले तबाह

लब फ़ुगाँ को चश्म है आँसू बहाने के लिए
दिल है जलने को ज़िगर है दाग़ खाने के लिए

---

1. जन्म का जादू 2. परिणाम 3. आकाश 4. बड़ी 5. निर्दोष बच्चे 6. नासमझ 7. विश्वास के अनुसार 8. भलाई 9. प्रकट 10. कहानी 11. धैर्य और सन्तोष का मन्त्र 12. वर्णन 13. कदापि 14. सांसारिक प्रबन्ध 15. किनारा।

तायबर[1] क़िस्मत ये क्या नैरंग दौराँ[2] हो गया
तू अदम[3] आबाद पहुँचा घर बयाबाँ[4] हो गया

हाय क्या दिल· था किववफ़े यासो हिरमाँ[5] हो गया
या तमन्नाओं पै अपनी आप कुरबाँ हो गया

तू बाहरे ज़िन्दगी में तो रहा नाकाम[6] ऐश
लबे तलक आने न पाया था कि छलका जामे ऐश[7]

ऐश इशरत के हज़ारों जिसने सामाँ हो किये
वो मए राहत[8] के बदले ख़ून दिल अपना पिये

कैसे-कैसे रंज़ तुझको नामुरादी[9] ने दिये
हाय तू दुनिया में आया था इसी दिन के लिये

दाग़े हसरत यादगार अपना हमें देकर गया
ख़ुद ज़माने से दिले पूर आरज़ू लेकर गया

फिर रही है दीद-ए मुश्ताक़ में सूरत तेरी
खेलती रहती थी हरदम तेरे होठों पर हँसी

है हमारे पर्दहा-ए गोश में अब तक बसी
गुफ़्तगू[10] तेरी जवानी की उमंगों से भरी

---

1. अफसोस 2. काल का परिवर्तन 3. स्वर्ग 4. उजड़ा 5. दुःख और निराशा की भेंट 6. सुख प्राप्ति में असफल 7. ऐश का प्याला 8. आराम की शराब 9. असफलता 10. बातचीत।

अब वो लुत्फ़े ज़िन्दगी[1] हासिल न होगा ख़्वाब में
जानशीं[2] तेरा कहाँ है सुहबते अहबाब[3] में

अब वो रब्तो ज़ब्त[4] वो अगली मुलाकातें कहाँ
वो बिगड़ना अब कहाँ वो मेल की रातें कहाँ

दिल लगी की हर घड़ी हरदम नई घातें कहाँ
वो ज़माना अब कहाँ वो दिन कहाँ रातें कहाँ

बेमज़ा तेरी मए[5] लुत्फ़े[6] जवानी हो गई
दास्ताने ऐश[7] अपनी भी कहानी हो गई

साथ किसके होगी अब वक़्ते सहर[8] सैरे चमन
ग़र्म किसकी गुफ़्तगू से होगी शबकी अंजुमन[9]

ख़न्दा पेशानी से देगा कौन अब दादे सख़ुन
कौन होगा मौत पर मुझ ख़स्तजाँ की नौहाज़न

तू मेरा हमदर्द सच्चा आशना[10] जाता रहा
ज़िन्दगी का लुत्फ़ मरने का मज़ा जाता रहा

चश्म ज़ाहिरबीं को अब दीदार तेरा है मुहाल
है मगर आरास्ता तुझसे मेरी बज़्में ख़याल

---

1. जीवन का आनन्द 2. तेरी जगह पर बैठने वाला 3. मित्रों का समाज, 4. प्यार-मुहब्बत 5. शराब 6. जवानी के आनन्द 7. चैन की कहानी 8. प्रभात समय 9. रात की महफिल 10. परिचित।

ये वो आलम है जिसे माना है सबने लाज़वाल[1]
हो मुख़िल[2] याँ अपनी सुहबत में फ़लक[3] की क्या मजाल

हाँ फ़ना[4] कर दूँगा मैं नैरंगिए तक़दीर[5] को
आईने में दिल के रक्खूँगा तेरी तस्वीर को

सुहब्बते अहबाब[6] में हैं गर यही रंजो अलम[7]
काश के[8] पैदा हुए होते किसी सहरा[9] में हम

ज़िन्दगी का ऐश होता और न मरने का सितम[10]
हाँ अगर होता तो होता एक तनहाई[11] का ग़म

नौहाख़्वाँ[12] होता न कोई चर्खे गर्दा[13] के तले
क़ब्र बन जाती कहीं रेगे बयाबाँ[14] के तले

है मगर ये दारे फ़ानी[15] वो तिलिस्मे दिलकशीं[16]
याद कम रखती है इसकी ज़ुहमतें[17] तब-ए हज़ीं[18]

ये वो उक़्दा[19] है जो फ़िक्रो ग़ौर से खुलता नहीं
जहल[20] से बदतर नज़र आती है अ़क्ले दूरबीं[21]

हाय इस दुनिया की पाबन्दी अजब दिलगीर[22] है
ख़ुद पहिनता है जिसे इन्साँ ये वो ज़ंजीर है।

---

1. शाश्वत 2. विघ्न कारक 3. आसमान 4. मिटाना 5. प्रारब्ध का परिवर्तन 6. मित्र-समाज 7. दुःख 8. क्या अच्छा होता है कि 9. जंगल 10. दुःख 11. अकेलापन 12. रोने वाला 13. घूमने वाला आकाश 14. जंगल की रेत 15. नाशवान संसार 16. हृदय स्थित जादू 17. तकलीफ़ें 18. दुःखी तबीयत 19. गाँठ 20 नादानी 21. दूरदर्शी 22. हृदय को वशीभूत रखनेवाली।

पीराने नीकोबार

कुछ और ही तीनत[1] के हैं पीराने निकोबार[2]
करते हैं वो इख़लाक़ से मज़हब को सुबक बार[3]

कहने को तो हैं दीन के हामी औ मददगार
और करते हैं तल्क़ीन[4] ये सबको सरे बाज़ार

क़ायम न रहो बहरे ख़ुदा[5] सिद्‌के[6] बयाँ पर
जो दिल में तुम्हारे है वो लाओ न जबाँ पर

मंज़ूर इन्हें पैरविए अहदें कुहन[7] है
मज़हब यही इनका यही हुब्बे वतन है

कोशिश है कोई नेक तदबीरे हसन[8] है
ईमान के पर्दे में फ़क़त पासे सख़ुन[9] है

इन लोगों को दुनिया की सतायश[10] से ग़रज़ है
मज़हब न हो मज़हब की नुमायश से ग़रज़ है

लेकिन नहीं इख़लाक़ से कुछ इनको सरोकार
ये अर्ज़े अमल[11] क़ाबिले तहसीं[12] नहीं ज़िनहार[13]

---

1. स्वभाव 2. भले मानस, वृद्ध पुरुष 3. हल्का 4. उपदेश 5. ईश्वर के लिए 6. सचाई 7. पुराना-ज़माना 8. अच्छा उपाय 9. बात का ख़्याल 10. सराहना-प्रशंसा 11. कार्य-प्रणाली 12. प्रशंसा के योग्य 13. धार्मिक।

बातिन[1] में जिस इन्सान के अच्छे नहीं किरदार[2]
ज़ाहिर की नुमायश से वो होता नहीं दीदार[3]

दिल सूरते आईना जो रोशन नहीं होता
ज़ुन्नार[4] पहनने से बिरहमन नहीं होता

मुर्दा है ख़ाँ रूह हो गर जिसमें बशर[5] से
काँटा है जुदा हों जो निज़ाकत[6] गुलेत्तर से

है मिस्ल ख़ज़फ[7] दूर सफ़ा[8] हो जो गुहर[9] से
आइन-ए बेआब[10] उतरता है नज़र से

मज़हब बजुज़ इख़लाक़[11] रवाँ[12] हो नहीं सकता
मानी से कभी लफ़्ज़ जुदा हो नहीं सकता।

---

1. आंतरिक 2. कार्य-चरित्र 3. धार्मिक 4. जनेऊ 5. मनुष्य के शरीर से यदि आत्मा चली जाये तो वह मृतक है 6. कोमलहीन पुरुष 7. पत्थर का टुकड़ा 8. उज्ज्वलता 9. मोती 10. बिना कलई का शीशा 11. शिष्टाचार के बिना 12 जायज।

कश्मीर

पानी में है चश्मों[1] के असर आबे बफ़ा[2] का
हर नस्ल[3] पै आलम[4] ख़िज़रे संब्ज़ क़बा[5] का

जो फूल है गुलशन में वो है नूर ख़ुदा का
साये में शजर[6] के है असर ज़िल्ले हुमा[7] का

मुब्दाय करमे आम[8] की हर जूय[9] रवाँ है
सर चश्म-ए फ़ैजे चमन आराम जहाँ[10] है

वो मौज़े हवा[11] का हरकत अब्र[12] को देना
चश्मों[13] से पहाड़ों के वो उड़ता हुआ फेना

गाते हुए मल्लाहों का वो किश्तियाँ[14] खेना
डल[15] का वो सरेशाम इधर करवटें लेना

वो अक्स[16] चिरागों का झलकता नज़र आना
पानी का सितारा भी चमकता नज़र आना

हर लाल ओ कुहसार[17] है शक्ले गुले राहत[18]
दाग़ उसके हैं पाले रूख़े हुराय मर्सरत[19]

क्या सबज़-ए ख़ुश रंग[20] है सरमाय ये इशरत[21]
दिल के लिए ठंडक है जिगर के लिए फ़रहत[22]

---

1. स्रोत 2. अमृत 3. वृक्ष 4. दृश्य 5. हरी पोशाक 6. वृक्ष 7. हुमा (एक पक्षी का साया) 8. ईश्वरीय उदारता 9. नदी 10. दुनिया के बाग को सुधारने वाला चन्द्रमा 11. वायु की लहर 12. बादल 13 स्त्रोतों 14. नावें 15. एक झील 16. परछाईं 17. हरा मैदानी पर्वतन 18. आराम का फूल 19. मोह रूपी अप्सरा के मुँह का तिल 20. अच्छे रंग की हरियाली 21. ऐश का सामान 22. बहलावा।

ऐसा नहीं क़ुदरत ने किया फ़र्श कहीं पर
इस रंग का सब्ज़ा ही नहीं रूहे ज़मी[1] पर

वो सुबह को कुहसार[2] में फूलों का महकना
वो झाड़ियों की आड़ में चिड़ियों का चहकना

गरदूँ[3] शफ़क़[4] कोह[5] पे लालों का लहकना
मस्तों की तरह अब्र[6] के टुकड़ों का बहकना

हर फूल की जुंबिश[7] से अयाँ[8] नाज़[9] परी का
चलना वो बे पाँव नसीमें सहरी का

वो तायरे कुहसार[10] लबे चश्म-ए कुहसार
वो सर्द हवा वो करमे अब्र गुहर बार[11]

वो मेव-ए ख़ुश रंग वो सर सब्ज़ चमन ज़ार[12]
एक आन[13] में सेहत हो जो बरसों का हो बीमार

ये बाग़े वतन रुकशे गुलज़ार जिनाँ है
सरमाय ये नाज़े चमन आराम जहाँ है

---

1. भूतल 2. पर्वतों की घाटी 3. आकाश 4. क्षितिज 5. पहाड़ 6. बादल 7. हिलना 8. प्रकट 9. गर्व, 10. पहाड़ी पक्षी 11. मोती बरसाने वाले बादल 12. हरा-भरा उद्यान 13. घड़ी।

है ख़त्त-ए सर सब्ज़ में यक नूर का आलम
हर ख़ार पै भी है मिज़ए हूर का आलम

निकली न सदा ऐसी मुग़न्नी[1] के गिलू[2] से
आती है जो आवाज़ तरे नम लबे[3] जू से

मेवों से गर अम्बार[4] वो अशजार[5] के डाले
बिखरे हुए वो दामने कुहसार[6] के लाले

उड़ते हुए बालाय हवा[7] बर्फ़ के भाले
देखे जो कोई दूर से हैं रुई के गाले

वह अब्र के लक्कों[8] का तमाशा शज़रों में
झरनों की सदाएँ वो पहाड़ों के दरों में

छूटे हुए इस बाग़ को गुजरा है ज़माना
ताज़ा है मगर इसकी मुहब्बत का फ़िसाना[9]

आलम ने शरफ़[10] जिनकी बुज़ुर्गी का है माना
उठ्ठे थे इसी ख़ाक से वो आलिमो दाना[11]

---

1. गवैया 2. गले 3. दरिया के किनारे से 4. ढेर 5. वृक्षों 6. पर्वत के अंचल 7. वायु पर 8. टुकड़ों 9. कहानी 10. प्रतिष्ठा 11. विद्वान।

तन जिनका है पयवन्द[1] अब इस पाक जमीं का
रग-रग में हमारी है रवाँ ख़ून उन्हीं का

हाँ, मैं भी हूँ बुलबुल उसी शादाब[2] चमन का
है चश्म-ए फ़िरदौस[3] ये आलम है दहन[4] का

जिस तरह न सर सब्ज़ हो गुलज़ार सख़ुन[5] का
है रंग तबीयत में चमनख़ार वतन का

ताज़े हैं माज़मों भी तबीयत भी हरी है
हाँ, गुलशने क़ौमी की हवा सर में भरी है।

---

1. जोड़ 2. हरे-भरे 3. स्वर्ग का सोता 4. मुँह 5. काव्य का उद्यान।

जलवए मअरफ़त
(फलस्फ-ए-वेद)

फ़ैज़े क़ुदरत[1] से जो तक़दीर खुली आलम की
साहिले हिन्द[2] पै वहदत[3] की तजल्ली[4] चमकी

मिट गई जहल[5] की शब सुबह का तारा चमका
आर्यावर्त की क़िस्मत का सितारा चमका

अहले दिल पर हुई क़ैफ़ीयते इरफ़ाँ[6] तारी[7]
जिन से दुनिया में हुई दीन की नहरें जारी

थीं खुली जलवा[8] गहे ख़ास में राहें उनकी
वाक़िफ़े राज़े हक़ीकत[9] थीं निगाहें उनकी

अर्श[10] से उनके लिए नूरे ख़ुदा[11] आया था
बन्द ए ख़ास[12] थे रिषियों का लक़ब[13] पाया था

वेद उनके दिले हक़ कैश[14] की तस्वीरें हैं
जलव-ए क़ुदरते माबूद[15] की तफसीरें[16] हैं

---

1. प्राकृतिक उदारता 2. भारतीय किनारा 3. एकत्व 4. प्रकाश 5. मूर्खता की रात्रि 6. ईश्वर को पहचानना 7. छाई हुई 8. ईश्वरीय प्रकाश का क्षेत्र 9. वास्तविक रहस्य 10. आकाश 11. ईश्वरीय प्रकाश 12. विशेष भक्त 13. सच्चे स्वभाव का हृदय 14. ईश्वरीय प्रकृति का प्रकाश 15. वर्णन 16. एकत्व।

ऐन कसरत में ये वहदत[1] का सबक़ वेद में है
एक ही नूर है जो ज़र्र ओ ख़ुर्शीद[2] में है

जिनसे इंसान में है जोशे जवानी पैदा
उसी जौहर से है मौज़ों[3] में रवानी[4] पैदा

रंगे गुलशन में फ़िज़ा[5] दामने कुहसार[6] में है
ख़ूँ रगे गुल में है नश्तर की ख़लिश[7] ख़ार[8] में है

तमूकनत[9] हुस्न में है जोश है दीवाने में
रोशनी शमअ[10] में है नूर है परवाने में

रंगे बू होके समाया वही गुलज़ारों में
अब्र बनकर वही बरसा किया कुहसारों[11] में

शौक़ होकर दिले मजज़ूब[12] पै छाया है वही
दर्द बनकर दिले शायर में समाया है वही

नूरे ईमां[13] से जो पैदा हो सफ़ा[14] सीने में
अक्स इसका नज़र आता है इस आईने में।

1. एकत्व 2. बालू का कण और सूर्य 3. लहरों 4. बहाव 5. बहार 6. पर्वतों की गोद 7. घाव 8. काँटा 9. सजधज 10. बती 11. पर्वतों 12. फ़क़ीर 13. ईमान का प्रकाश 14. सफाई।

ग़ज़लें (मज़हबे शायराना)

1

कहते हैं जिसे अब्र[1] वो मैख़ाना[2] है मेरा
जो फूल खिला बाग़ में पैमाना[3] है मेरा।

क़ैफ़ीयते गुलशन[4] है मेरे नशा का आलम[5]
कोयल की सदा[6] नार-ए-मस्ताना[7] है मेरा।

पीता हूँ वो मै[8] नशा उतरता नहीं जिसका
खाली नहीं होता है वो पैमाना है मेरा।

दरिया मेरा आईना है लहरें मेरे गेसू[9]
और मौज[10] नसीमे सहरी[11] शाना[12] है मेरा।

मैं दोस्त भी अपना हूँ अदू[13] भी हूँ मैं अपना
अपना है कोई और न बेगाना है मेरा।

ख़ामोशी में याँ रहता है तफ़सीर[14] का आलम
मेरे लबे ख़ामोश पै अफ़साना है मेरा।

मिलता नहीं हर एक को वो नूर है मुझमें
जो साहबे बी निश[15] है वो परवाना है मेरा।

शायर का सख़ुन कम नहीं मज़जूब की बड़ से
हर एक न समझेगा वो अफसाना है मेरा।

---

1. बादल 2. शराबखाना 3. प्याला 4. उद्यान का दृश्य 5. नशे की हालत 6. आवाज़ 7. मतवालों की आवाज़ 8. मद्य 9. जुल्फ के बाल 10. लहर 11. प्रभात की वायु 12. काँधा 13. दुश्मन 14. वकृत्व, 15. दृष्टि रखनेवाला।

2

फ़ना[1] नहीं है मुहब्बत के रंगों बू के लिए
बहार आलमे फ़ानी[2] रहे रहे न रहे।

जुनूने हुब्बे वतन[3] का मज़ा शबाब[4] में है
लहू में फिर ये रवानी रहे रहे न रहे।

रहेगी आबोहवा[5] में ख़याल की बिजली
ये मुश्त ख़ाक[6] है फ़ानी रहे रहे न रहे।

जो दिल में ज़ख़्म लगे हैं वो ख़ुद पुकारेंगे
ज़बाँ की सैफ़ बयानी[7] रहे रहे न रहे।

मिटा रहा है ज़माना वतन के मंदिर को
ये मर मिटों की निशानी रहे रहे न रहे।

दिलों में आग लगे ये वफ़ा का जौहर[8] है
ये जमाँ ख़र्च ज़बानी रहे रहे न रहे।

जो माँगना हो अभी माँग लो वतन के लिए
ये आरज़ू की जवानी रहे रहे न रहे।

---

1. मृत्यु 2. नाशवान संसार 3. स्वदेश प्रेम का उन्माद 4. जवानी 5. जलवायु 6. मुट्ठी भर मिट्टी 7. कथन-शक्ति 8. गुण।

3

ज़ुबाँ को बन्द करें या मुझे असीर करें
मेरे ख़याल को बेड़ी पिन्हा नहीं सकते।

ये कैसी बज़्म[1] है और कैसे इसके साक़ी[2] हैं
शराब हाथ में है और पिला नहीं सकते।

ये बेकसी भी अजब बेकसी है दुनिया में
कोई सताय हमें हम सता नहीं सकते।

कशिश[3] वफ़ा की उन्हें खींच लाई आख़िरक़ार
ये था रक़ीब[4] को दावा वे आ नहीं सकते।

जो तू कहे तो शिकायत का ज़िक्र कम कर दें
मगर यक़ीं[5] तेरे वादों पै ला नहीं सकते।

चिराग़ क़ौम का रोशन है अर्श पर दिल के
इसे हवा के फ़रिश्ते बुझा नहीं सकते।

---

1. महफ़िल 2. मद्य पिलाने वाला 3. आकर्षण की शक्ति 4. शत्रु 5. विश्वास।

4

कभी था नाज़ ज़माने को अपने हिन्द पै भी
पर अब उरुज[1] वो इल्मो कमालो फ़न[2] में नहीं।

रगों में ख़ून वही दिल वही ज़िगर है वही
वही ज़बाँ है मगर वो असर सखुन में नहीं।

वही है बज़्म वही शमूअ है वही फ़ानूस
फ़िदाय बज़्म वो परवाने अंजुमन में नहीं।

वही हवा वही कोयल वही पपीहा है
वही चमन है पर वो बागबाँ चमन में नहीं।

ग़ुरूरों जहल ने हिन्दोस्तां को लूट लिया
बजुज़ निफ़ाक़[3] के अब ख़ाक भी वतन में नहीं।

---

1. अभ्युदय 2. विद्या तथा गुण 3. द्वेष

5

किसे मालूम है क्या रंग है बदले अब फ़ुग़ाँ[1] अपनी
ख़ुदा हाफ़िज[2] है दिल का, बंद होती है ज़बाँ अपनी।

असीरे ज़ब्त होकर तंग है मुँह में ज़बाँ अपनी
रगे गरदन से निकली है लहू बनकर फ़ुग़ाँ अपनी।

पड़ी है तीर बन-बनकर निगाहें परसावों की
ग़िज़ा लाने हरम भूले हुए हैं शोखियाँ अपनी।

शफ़क़[3] है आस्माँ पर लाल वो गुल बागों सहरा में
दिखाता है शहीदों का लहू रंगीनियाँ अपनी।

गुलों ने बाग छोड़ा तंग आकर जौर गुलचीं से
चमन वीरान होता है ख़बर ले बाग़बाँ अपनी।

1. पुकार 2. रक्षक 3. क्षितिज।

6

गर्दने ख़म[1] निदामत[2] से दिलाज़ारों[3] की
रह गई बात ज़माने में वफ़ादारों की।

क़ाजि-ए वक़्त ने बरसात में तोबा तोड़ी
रिन्द[4] आज़ाद हुए ईद है मैख़ारों की।

क़ैद से छूट के आये हैं वफ़ा के युसफ़[5]
सरे बाज़ार है क्या भीड़ खरीदारों की।

बेगुनाहों का तो इन्साफ हुआ दुनिया में
अब हमें देखनी है शर्म गुनहगारों की।

बेड़ियाँ कट के गिरीं ख़ाक के पुतले की भी आज
रूह आज़ाद थी पहले ही गिरफ़्तारों की।

दिल में इस तरह से अरमान है आज़ादी के
जैसा गंगा में चमकती है चमक तारों की।

---

1. झुकी हुई 2. लज्जा 3. दिल दुखाने वालों 4. शराबी 5. एक फ़रिश्ते जो मिस्र के बादशाह हुए थे।

7

अज़ाँ से नार-ए नाक़ूस[1] पैदा हो नहीं सकता
अभी कुछ रोज़ तक काबा कलीसा[2] हो नहीं सकता।

ज़बाँ से जोशे क़ौमी दिल में पैदा हो नहीं सकता
उबलने से कुआँ वसअत[3] में दरिया हो नहीं सकता।

बहुत पिनहाँ[4] रही दिल में ख़लिश[5] ख़ारे तअस्सुब[6] की
मगर अब इम्तहाँ के वक़्त पर्दा हो नहीं सकता।

जुदा सीने से दिल हो दस्तो बाज़ू[7] क़ौम के शल[8] हों
मगर दिल से जुदा दमभर ये काँरा हो नहीं सकता।

गराँ है जिंस और नीयत ख़रीदारों की अब्तर[9] है
अब इस बाज़ार में उल्फ़त[10] का सौदा हो नहीं सकता।

जिसे है फ़िक्र मरहम की उसे क़ातिल[11] समझते हैं
इलाही ख़ैर हो ये ज़ख़्म अच्छा हो नहीं सकता।

कमाले बुज़दिली है[12] पस्त[13] होना अपनी आँखों में
अगर थोड़ी-सी हिम्मत हो तो फिर क्या हो नहीं सकता।

उभरने ही नहीं देती यहाँ बे मायगी[14] दिल की
नहीं तो कौन क़तरा है जो दरिया हो नहीं सकता।

---

1. शंख ध्वनि 2. गिरजा 3. चौड़ाई 4. छिपा हुआ 5. घाव 6. पक्षपात का काँटा 7. हाथ-पैर 8. बेहरकत 9. ख़राब 10. प्रेम 11. हत्यारा 12. डरपोक 13. नीचा 14 लाचारी

8

फ़साना[1] हो गये आज़ार दुश्मन की बुराई के
लगे वो जख़्म दिल पर दोस्तों की बेवफ़ाई[2] के।

बुरों में भी यहाँ बरताव रक्खे हैं भलाई के
बनाया बा वफ़ा[3] इस दिल को सदके[4] बे वफाई के।

ज़माने की मुहब्बत पै न हो ऐ हमनशीं[5] नाज़ाँ[6]
सुनायेंगे तुझे फ़ुरसत से क़िस्से आश्नाई[7] के।

ये वो ग़म है कि जिसकी परवरिश दिल ख़ूब करता है
ज़बाँ तक ला नहीं सकता हूँ शिकवे बे वफाई के।

जिला[8] दिल को मेरे क़ल्बे दुश्मन[9] की स्याही ने
क़ुदरत[10] वां बढ़ी और यां खुले जौहर सफ़ाई के।

दरे तदबीर पर सर फोड़ना शैवा[11] रहा अपना
वरीले हाथ ही आये न किस्मत आज़माई[12] के।

नई तहज़ीब[13] के सदके[14] न शरमाने दिया दिल को
रहे मनूतिक़[15] के पर्दे में करिश्मे[16] बेहयाई के।

---

1. कहानी 2. कृतघ्नता 3. प्रत्युपकारी 4. निछावर 5. साथ बैठनेवाला 6. घमण्ड करना 7. दोस्ती 8. सफाई 9. शत्रु का हृदय 10. मैल 11. ढंग 12. प्रारब्ध की परीक्षा 13. सभ्यता 14. निछावर 15. बातचीत 16. नाज नखरे।

9

अगर दर्दे मुहब्बत से इन्साँ आश्ना[1] होता
न मरने का सितम होता न जीने का मज़ा होता।

हज़ारों जान देते हैं बुतों[2] की बेबफाई पर
अगर इनमें से कोई बावफा होता तो क्या होता।

रुलाया अहले महफ़िल को निगाहे पास ने मेरी
क़यामत थी जो इक क़तरा इन आँखों से जुदा होता।

ख़ुदा को भूलकर इन्सान के दिल का ये आलम है
ये आईना अगर सूरतनुमा होता तो क्या होता।

हविस[3] जीने की है यों उम्र के बेकार कटने पर
जो हम से ज़िन्दगी का हक़ अदा होता तो क्या होता।

ज़बाँ के ज़ोर पर हंगामा आराई से क्या हासिल[4]
बदन में एक दिल होता मगर दर्दे आशना होता।

---

1. परिचित 2. मूर्तियों 3. इच्छा 4. प्राप्त।

10

ख़िदमते इन्साँ[1] से दिल को आशना[2] करते रहे
दिल के आइने पै अल्फ़त की जिला[3] करते रहे।

दोस्ती में अपना अपना हक़ अदा करते रहे
वो ज़फा[4] करते रहे और हम वफ़ा करते रहे।

क्या कहें किससे कहें दुनिया में क्या करते रहे
बिदअतें[5] होती रहीं शुक्रे ख़ुदा करते रहे।

अहले हिम्मत[6] मंज़िले मक़सूद[7] तक आ ही गये
बन्द-ए-तक़दीर[8] क़िस्मत से गिला करते रहे।

---

1. मनुष्य की सेवा 2. प्रेमी 3. प्रेम की क़लई 4. जुल्म 5. नई-नई बातें निकालना 6. साहसी-पुरुष 7. अभीष्ट-स्थान 8. प्रारब्ध ही को सब कुछ मानने वाले।

11

जहाँ में आँख जो खोली फ़ना[1] को भूल गये
कुछ इब्तिदा[2] ही में हम इन्तहा को भूल गये।

निफ़ाक़[3] गबरू[4] मुसलमाँ का यों मिटा आख़िर
ये बुत को भूल गये वो ख़ुदा को भूल गये।

हुआ मिज़ाज का आलम ये सैरे यूरप से
कि अपने मुल्क की आबोहवा को भूल गये।

ज़मीं लरजती है बहते हैं ख़ून के दरिया
ख़ुदा के जोश में बन्दे ख़ुदा को भूल गये।

ये इन्क़लाब[5] हुआ आलमे असीरी में
क़फ़स में रह के हम अपनी सदा को भूल गये।

---

1. नृत्यु 2. आरम्भ 3. झगड़ा 4. आग की पूजा करनेवाला 5. क्रान्ति।

12

फ़ना का होश आना ज़िन्दगी का दर्दे सर जाना
अजल[1] क्या है ख़ुमारे बाद-ए-हस्ती[2] का उतर जाना।

अज़ीज़ाने वतन[3] को ग़ुंचए बर्गो समर[4] जाना
ख़ुदा को बाग़बाँ और क़ौम को हमने शजर[5] जाना।

करिश्मा[6] ये भी है ऐ बेख़बर इफ़लासे[7] क़ौमी का
तलाशे रिज़्क़[8] में अहले हुनर का दर बदर[9] जाना।

अजल[10] की नींद में भी ख्वाबे हस्ती[11] गर नज़र आया
तो फिर बेकार हैं तंग आके इस दुनिया से मर जाना।

चमन ज़ारे मुहब्बत में उसी ने बागबानी की
कि जिसने अपनी मिहनत ही को मिहनत का समर जाना।

---

1. मृत्यु 2. ज़िन्दगी की शराब का नशा 3. स्वदेश के बाल बच्चे 4. पत्तियों और फलों की कलियाँ 5. वृक्ष 6. करामात 7. जाति की दीनता, 8. रोज़ी की तलाश 9. द्वार-द्वार 10. मृत्यु 11. जीवन का स्वप्न।

13

न कोई दोस्त दुश्मन हो शरीके दर्दे गम[1] मेरा
सलामत मेरी गरदन पर रहे बारे अलम[2] मेरा।

बहार आई तरक़्क़ी पर है सौदा[3] दम बदम मेरा
बड़हा जाता है ख़ुद ज़ंज़ीर की जानिब[4] क़दम मेरा।

लिखा ये दावरे महशर[5] ने मेरे फ़र्दे असियाँ पर
ये वो बन्दा है जिस पर नाज़ करता है करम मेरा।

कशाकश[6] है उमीदो यास की ये ज़िन्दगी क्या है
इलाही ऐसी हस्ती से तो है अच्छा अदम मेरा।

मुझे अहवाल की पुर्सिश[7] की ग़ैरत मार डालेगी
क़यामत है अगर अफ्शा हुआ राज़े अलम मेरा।

खड़ी थीं रास्ता रोके हुए लाखों तमन्नाएँ
शहीदे यास[8] हूँ निकला है किस मुश्किल से दम मेरा।

---

1. रंज और दुःख का साथी 2. दुःख का बोझ 3. उन्माद 4. और 5. प्रलय का स्वामी भगवान
6. खींचा-तानी 7. मित्रों की पूछताछ 8. निराशा।

14

दिल किये तसख़ीर[1] बख़्शा फ़ैज़ रूहानी[2] मुझे
हुब्बे क़ौमी3 हो गया नक्शे सुलेमानी मुझे।

मंजिले इबरत[4] है दुनिया अहले दुनिया[5] शाद हैं
ऐसी दिल जमई से होती है परेशानी मुझे।

जाँचता हूँ वसअते दिल[6] हम्लए ग़म[7] के लिए
इम्तहाँ है रंजो हिरमां[8] की फ़रवानी[9] मुझे।

कुल्फते दुनिया[10] मिटे भी तो सख़ी के फ़ैज से
हाथ धोने को मिले बहता हुआ पानी मुझे।

ख़ुदपरस्ती मिट गई कद्रे मुहब्बत बढ़ गई
मातमे अहबाब[11] है तालीम रूहानी मुझे।

क़ौम का ग़म मोल लेकर दिल का ये आलम हुआ
याद भी आती नहीं अपनी पेरशानी मुझे।

ज़र्रा-ज़र्रा है मेरे कश्मीर का मेहमाँनवाज़ [12]
राह में पत्थर के टुकड़ों ने दिया पानी मुझे।

लखनऊ में फिर हुई आरास्ता बज़मे सख़ुन
बाद मुद्दत फिर हुआ शौक़े ग़ज़ल ख़्वानी मुझे।

---

1. अधिकृत 2. आत्मिक उदारता 3. जातीय प्रेम 4. भय का स्थान 5. संसार के लोग प्रसन्न हैं 6. हृदय की विशालता 7. दुःख कष्ट 8. भगवत-भजन 9. सत्य का प्रेम 10. दाता की उदारता 11. मित्रों का रंज 12. अतिथि का सत्कार करने वाला।

15

दर्द दिल पासे वफ़ा[1] जज़्ब-ए-ईमाँ[2] होना
आदमीयत है यही और यही इन्साँ[3] होना।

तू गिरफ़्तार बला[4] तर्ज़े फुगाँ[5] क्या जाने
कोई नाशाद सिखा दे इन्हें नालाँ[6] होना।

ख़ाक होकर कफ़न गुँचा[7] बना जाम-ए-गुल[8]
खुल गया रंज से शादी का नुमायाँ[9] होना।

रह के दुनिया में यों तर्के हविस[10] की कोशिश
जिस तरह अपने ही साये से गुरेजाँ[11] होना।

ज़िन्दगी क्या है अनासिर[12] में ज़हूरे तरतीब[13]
मौत क्या है इन्हीं अजज़ा[14] का परेशां होना[15]।

दफ़्तरे हुस्न[16] पै मुहरे वदे क़ुदरत समझो
फूल का ख़ाक के तूदे से नुमायाँ होना।

दिल असीरी[17] में भी आज़ाद है आज़ादों का
वलवलो के लिए मुमकिन नहीं ज़िन्दा होना।

गुल को पामाल न कर लालो गुहर[18] के मालिक
है इसे तुर्र-ए दस्तार ग़रीबाँ होना।

है मेरा ज़ब्ते जुनूँ[19] जोशे जूनूँ[20] से बढ़कर
तंग है मेरे लिए चाके गरीबाँ होना।

क़ैद युसूफ़ को ज़ुलेखा ने किया कुछ न किया
दिले युसूफ़ के लिए शर्त था ज़िन्दा होना।

---

1. प्रेम व्यवहार 2. ईमानदारी का तत्व 3. मनुष्य 4. आपत्ति से ग्रस्त 5. रोने चिल्लाने का ढंग 6. रोना 7. कली 8. फूल की पोशाक 9. प्रकट 10. लोभ का त्याग 11. घृणा करना 12. पंच तत्व 13. क्रम से संगठन 14. तत्त्वों 15. बिखर जाना 16. सौन्दर्य का घर 17. क़ैद 18. मोती। 19. उन्माद की धुरी 20. उन्माद का उभार।

16

दिल ही बुझा हुआ हो तो लुत्फ़े बहार[1] क्या
साक़ी[2] है क्या शराब है क्या सब्ज़ा ज़ार[3] क्या।

ये दिल की ताज़गी है वो दिल की फ़सुर्दगी[4]
इस गुलशने जहाँ की ख़िजाँ[5] क्या बहार क्या

देखा सुरूरे बाद-ए हस्ती[6] का ख़ातमा
अब देखें रंग लाये अजल[7] का ख़ुमार क्या।

दुनिया से ले चला है जो हसरतों का बोझ
क़ाफी नहीं है सर पै गुनाहों का बार क्या।

ख़िलअत[8] कफ़न का हम तो ज़माने से ले चुके
अब है उरूसे मर्ग तुझे इन्तजार क्या।

बादे फ़ना[9] फ़िज़ूल है नामोनिशाँ की फ़िक्र
जब हम नहीं रहे तो रहेगा मज़ार क्या।

चलती है इस चमन में हवा इन्कलाब की
शबनम को आये दामने गुल को क़रार क्या।

छिटकी हुई है गोरे ग़रीबाँ[10] पै चाँदनी
है बेकसों की फ़िक्र चिरागे मज़ार[11] क्या।

---

1. बसंत का आनंद 2. मद्य पिलाने वाला 3. हरियाली 4. रूखापन 5. पतझर 6. ज़िन्दगी का नशा 7. मृत्यु 8. क़फन की पोशाक 9. मरने के बाद 10. लोगों की समाधि 11. समाधि का दीपक।

17

दिल ही की बदौलत रंज भी है दिल ही की बदौलत राहत भी
ये दुनिया जिसको कहते हैं दोज़ख़ भी है और जन्नत भी।

अरमान भरे दिल ख़ाक हुए और मौत के तालिब[1] जीते हैं
अँधेर पै इस दुनियाँ के हमें आती है हँसी भी रिक्कत[2] भी।

या ख़ौफ़े ख़ुदा या ख़ौफ़े सक़ा[3] हैं दो ही बयान तेरे वाअज़[4]
अल्लाह के बन्दे दिल में तेरे है सोज़ो गुदाज़[5] मुहब्बत भी।

जब तक है जवानी का आलम क्या ऐश की मस्ती रहती है
जब पीरी मौत की लाई ख़बर फिर ज़ुहद[6] भी है और ताअत[7] भी।

गिरते ही ज़मीं के दामन में ऐ तिफ़्ल[8] ये रोना धोना क्या
दुनिया में अगर तू आया है याँ रंज भी है और राहत भी।

---

1. चाहने वाले 2. रंज 3. नरक का डर 4. उपदेशक 5. दुःख शोक 6. पाप से परहेज़ 7. भक्ति पूजा 8. बच्चे।

18

नये झगड़े निराली काविशें[1] ईजाद[2] करते हैं
वतन की आबरू अहले वतन[3] बरबाद करते हैं।

ज़रा ऐ कुंजे मरक़द[4] याद रखना इस हमैयत[5] को
कि घर वीरान करके हम तुझे आबाद करते हैं।

हर एक ख़श्ते कुहन[6] अफ़सान-ए दैरीना[7] कहती है
ज़बाने हाल से टूटे खण्डर फ़रियाद करते हैं।

बलाए जा[8] हैं ये तस्बीह[9] और जुन्नार[10] के फन्दे
दिले हक़बीं[11] को हम इस क़ैद से आज़ाद करते हैं।

थके माँदे मुसाफिर जुल्मते शामें ग़रीबाँ[12] में
बहारे जलव-ए सुबहे वतन[13] को याद करते हैं।

जनाबे शेख़ को ये मश्क़ है यादे इलाही की
ख़बर होती नहीं दिल को ज़बाँ से याद करते हैं

□□□

1. पारस्परिक द्वेष 2. आविष्कृत 3. स्वदेशी लोग 4. कब्र का कोना 5. नेकी 6. पुरानी ईंटे 7. पुरानी कथा 8. जान की आफत 9. माला 10. यज्ञोपवीत 11. सत्य को देखने वाला हृदय 12. सन्ध्या के अँधेरे 13 स्वदेश के प्रभात के प्रकाश के दृश्य को याद करते हैं।